ARM

ARMES PRYDEIN

O LYFR TALIESIN

GYDA

RHAGYMADRODD A NODIADAU

GAN

IFOR WILLIAMS

Cyhoeddwyd ar ran
Bwrdd Gwybodau Celtaidd
Prifysgol Cymru

CAERDYDD

GWASG PRIFYSGOL CYMRU

1955

Argraffiad cyntaf 1955
Adargraffwyd 1964, 1979
Adargraffwyd mewn clawr papur 1999

© Ysgutor Ystad y diweddar Syr Ifor Williams ⓗ 1965

ISBN 0-7083-1608-5

Mae Manylion Catalogio Cyhoeddi (CIP) ar gyfer
y llyfr hwn ar gael gan y Llyfrgell Brydeinig.

Argraffwyd yng Nghymru gan
Wasg Dinefwr, Llandybïe

CYNNWYS

RHAGAIR

MAE hi'n hwyr glas i'r llyfr hwn weld golau dydd! Argraffwyd y testun a'r nodiadau a'r eirfa dros wyth mlynedd yn ôl, a byth wedyn, gydag amynedd anfeidrol bron, bu'r Wasg yn disgwyl a disgwyl wrthyf am bwt o ragymadrodd. Yn Ebrill, 1950, rhois sylwedd yr hyn a geir yma yn Aberystwyth, fel rhan o Ddarlithiau Gregynog; ac yna, cyn i mi eu hail-bobi i'r pwrpas, daeth gwendid corfforol, a rhwystrau eraill.

Goddefer i mi gyflwyno hyn o waith, er mor hwyr, i goffa y Prifathro Ifor Evans, am ei groeso hynaws a hael adeg y darlithiau hynny, a'i ganiatâd siriol i mi gyhoeddi eu cynnwys yn y modd y gwelwn orau. Bu ei eiriau caredig ef yn galondid a symbyliad nid bychan i mi gwblhau y gorchwyl.

Yr wyf yn dra dyledus hefyd i'r Dr. Elwyn Davies am ei diriondeb hir-ymarhous tuag ataf yn ystod y blynydd-oedd, ac i'r argraffwyr yr un modd. Mawr ddiolch iddynt.

IFOR WILLIAMS.

Nos Calan Ionawr, 1955.

RHAGYMADRODD

DAROGAN yw Armes Prydein, sef proffwydoliaeth am y dyfodol. Yn y cyfryw, datgan y bardd nid yr hyn a fu, ond yr hyn a fydd, gyda'r amcan o galonogi ei genedl yn wyneb cyfnod o ormes a thrallod. Geilw ar gof ei hen fri, ymfalchïa yn arwyr y dyddiau gynt, ac mewn hyder cadarn o'r herwydd myn fod byd gwell wrth y drws, dydd dial gwaedlyd ar y gelyn, a buddugoliaeth lwyr a hollol i'r Cymry. Yn y gerdd hon, megis mewn daroganau cynnar eraill, tywysogion ein byddinoedd anorchfygol fydd Cynan a Chadwaladr. Yn ddiweddarach y gwaredwr yw Owain ; ac o'r diwedd disodlwyd ef mewn llên gwerin gan Arthur Fawr.[1] Ymddengys fod gan Wynedd ei gwaredwr priod ei hun, sef Hiriell : gelwir Môn ac Arfon yn *fro Hiriell*, yno y mae *hil Hiriell*, a rhyw ddydd Mawrth, medd y daroganwr, bydd brwydr rhwng Powys a Gwynedd, a chyfyd Hiriell "o'i hir orwedd" i amddiffyn ei fro, fel petai yntau megis Arthur wedi mynd i gysgu i ogof nes i'r dydd wawrio y bydd reitiaf i'w hil wrtho.[2] Arwr lleol oedd hwn : nid arhosodd ar gof ddim namyn ei enw. Ond Armes *Prydain* sydd yma, a rhaid wrth arwyr traddodiadol y genedl i arwain.

I. Amseriad y Gân

Ceir yr Armes yn *Llyfr Taliesin*, td. 13–18, llawysgrif a amserir gan Dr. Gwenogvryn Evans tua 1275. Rhaid pennu adeg ei chyfansoddi yn ôl y cyfeiriadau hanesyddol a welwn ynddi. Dyma gnewyllyn o'i chynnwys :—

Ar ôl rhagair bwriadol dywyll am gymodi'r Cymry â Gwŷr Dulyn a sôn am gytundeb rhwng y Cymry,

---

[1] Am drafodaeth lawn, gw. M. E. Griffiths, *Early Vaticination in Welsh*, 1937.

[2] B.B.C. 57 ; B. iii. 50–2.

Nid oedd gwlad ganddynt. Ni wyddent i ble y crwydrent
ym mhob aber (29, 30). Pan brynasant Danet, yr oedd
yn ddigon main ar Hors a Hengys (32). Llwyddasant
ar ein cost ni. Di-fonedd ydynt, ond trwy laddfa lechwr-
aidd cipiodd y caethion hyn goron yr ynys. "Gwedy rin
dilein keith y mynuer" (34).

Ymysg cynghreiriaid y Cymry enwir Gwŷr Dulyn a
Gwyddyl Iwerddon (9, 10), Gynhon Dulyn a Gwyddyl
(130–1). Yr adeg i wahaniaethu yn y modd hwn rhwng
trigolion Dulyn a gweddill Iwerddon oedd wedi sefydlu o'r
Scandinafiaid yn Nulyn ynghanol y nawfed ganrif, ac
iddynt ddal eu tir yno am gryn ysbaid. Cymerwyd Dulyn
gan wŷr Norwy yn 837 neu 838 : codasant amddiff ynfa
yno yn 841–2 (Todd, *War of the Gaedhil with the Gaill*,
td. liii). Daeth y Daniaid yno yn 852 a'i hennill oddi
arnynt (td. lxii, Arthur Jones, *The History of Gruffudd ap
Cynan*, td. 161). Bellach, gellid sôn am wŷr Dulyn fel
pobl ar wahân i'r Gwyddyl, rywdro yn ystod ail hanner y
nawfed ganrif. Yng nghopi'r Llyfr Coch o Hergest o Frut
y Tywysogion ceir nodyn, "Ac y diffeithwyt Iwerdon a
Mon y gan *bobyl Dulyn*," yn y flwyddyn 918 (R.B.B.,
td. 261). Dyma dystiolaeth mai felly y disgrifid hwy yr
adeg honno. Ni ddichon, gan hynny, fod yr Armes yn
hŷn nag 852, ond gall berthyn i ddechrau'r ddegfed
ganrif.[3]

Rhydd hyn i ni tua 900 fel amcan posibl am ei hamser-
iad. Ategir hynny gan yr enw hynafol a arferir am
ddeheubarth Cymru. Gŵr o'r De oedd y daroganwr,
a Chymry'r De sydd agosaf at ei galon. Gwelir hyn yn
ll. 99, "Na chrynet Dyfet na *Glywyssy(n)g*" ; a ll. 77,
"gwŷr Deheu eu tretheu a amygant." Yn ôl Syr John
Lloyd (H.W., td. 273–5) Glywysing i gychwyn oedd y
rhanbarth rhwng Tawe ac Ŵysg, ond dywed fod Meurig ap
Tewdrig tua 630 yn arglwydd ar Went hefyd nes bod ei

---

[3] Dyna fy nadl yn *Y Beirniad*, vi. 208, 212 (1916).

wlad yn cyrraedd o Dawe i Wy : mae terfynau Glywysing,
meddai, yn amrywio yn yr wythfed a'r nawfed ganrif. Yn
ôl Phillimore hefyd (Owen, *Pemb*., i. 208), cyn tua
o.c. 1000, arferid Glywysing bob amser i olygu Morgan-
nwg, gan gynnwys Gŵyr ond nid Gwent. Dyna gawn yn
Asser (*De Rebus Gestis Aelfredi*, c. 80) : sonia am Hywel
ap Rhys fel *rex Gleguising* ond Brochfael a Ffyrnfael
meibion Meurig fel *reges Gwent*. Sut bynnag, mae Dyfed
a Glywyssing i'r bardd hwn yn sefyll am Dde Cymru.
Ceidw'r Armes yr enw ar Forgannwg a oedd ar arfer gan
Nennius tua 800 a chan Asser yn niwedd y ganrif.[4]

Defnyddia'r Armes hefyd hen enw ar wŷr Wessex (y
gelyn), sef *Iwys* (108), *Iwis* (181). Fel hynafiad cynnar
i Alfred dyry Asser *Geuuis* ;[5] a chwanega "y geilw'r
Brython oddiwrtho yr holl genedl honno yn *Geguuis*."
Felly Beda (*Hist. Eccl*., iii. 7, "gens Occidentalium
Saxonum qui antiquitus *Geuissae* vocabantur." Ar y
dyfyniad cyntaf, dywed Stevenson mai'r ystyr yw "that
the West Saxons, who even in Beda's time had ceased to
be called *Gewisse*, were still known to the Britons by this
name." Fel y dengys yr enw Cymraeg, yngenid *g* mewn
Anglo-Saxon fel *i* o flaen llafariad taflodol ; a chafodd
Stevenson enghraifft o'r enw hwn fel *Iewisse* mewn brein-
len o ddiwedd y ddegfed ganrif. Orgraff Hen Gymraeg
sy'n gyfrifol am yr ail *g* yn *Geguuis* : gall *w* fod yn llafariad
neu'n gytsain, ac yn y cyfnod hwn ysgrifennid *gu* i
ddynodi'r ail. Felly mewn llawysgrif a ysgrifennwyd yn
820 ceir *petguar* am *pedwar*, *eguin* am *ewin*, a dyry Asser
Degui am *Dewi*. Soniwyd uchod am Glywysing : mewn
dwy lawysgrif gynnar o *Historia Brittonum* Nennius (c. 41)
rhoir *Gleguissing* amdano ; dyry Asser *Gleguising*. Ei

---

[4] Cf. *Annales Cambriae*, 864, duta uastauit *gliuisigng*.

[5] Argraffiad Stevenson, *Asser's Life of King Alfred*, 1904, td. 2,
qui fuit *Geuuis*, a quo Britones totam illam gentem *Geguuis*
nominant ; gw. hefyd nodyn td. 161–2.

ystyr yw pobl neu diriogaeth *Glywys* ; mewn arysgrif a
gafwyd yng Nghastell Ogwr cawn *Gliguis* am sant o'r enw.[6]

Heblaw yn y testun, ceir Iwys am wŷr Wessex yn y
Brut a gadwyd yn y Llyfr Coch (R.B.B. 260) ; dan 900
sonia am farw "Alvryt urenhin *Iwys*" ; mewn copi a
wnaed o'r *Annales* tua 1100 cawn yr un sylw mewn
orgraff hŷn, "Albrit rex *giuoys* moritur."[7]   Mewn hen
ddarogan enwir "Eigil *ywuys* lloegruis keint" (=Eingl,
Iwwys, Lloegrwys, Ceint)—mae orgraff y copi o blaid
amseru'r gwreiddiol yn oes Llyfr Du Caerfyrddin ; a
gwreiddiol hwnnw drachefn mewn Hen Gymraeg.[8]   Daw
enghraifft arall o'r awdl i Ddewi gan Wynfardd Brychein-
iog yn Llyfr Hendregadredd, td. 205, "Seint lloegrwys ac
iwys a seint y goclet."   Yn ei farwnad i Fadawg ap
Maredudd yn 1160, dengys Gwalchmai beth oedd yngan-
iad y beirdd Cymreig i'r enw : odla *Iwys* ag *eglwys*,
garawys, *cynnwys*, a'r cyffelyb, ac felly *I-ŵys* y seinid y
gair y pryd hwnnw.   Gallai hynny fod trwy gydweddiad
ag enwau Cymraeg fel *Cludŵys*, *Gwennŵys*, ac yn arbennig
Lloegrŵys.[9]

Yn ei *Last Essays* (arg. 1950, td. 119) dyfynna G. M.
Young lythyr oddi wrth Daniel, esgob Winchester, at Beda,
lle dywed "that apart from the South Saxons, of whom he
has taken temporary charge, he has under his care the
Jutes in the South of Hampshire who 'belong to the region
of the *Gewissas*.'   That the Gewissas are the predominant
partner appears from the fact that 'Bishop of the Gewissas'
is the style often borne by the bishop of Winchester.

[6] *Arch. Camb.*, 1932, td. 232.

[7] *Cymm.*, ix. 167.   Efallai mai bai'r copïwr am *giuuis* ; efallai
-oys, *-ois* fel amrywiad ar *-wis*, *-wys*.

[8] B. iv. 45.

[9] Daw *-ŵys* yn y rhain o'r terfyniad Lladin unigol *-ensis*, a'r
lluosog *-enses*.   Rhydd y ddau *-ŵys*, ac o'r herwydd tyfodd *-ion*
ar ei ôl i fynegi'r lluosog yn ddiamwys, cf. *Monwysion*.

Who, then, are the Gewissas ?   The answer is, first, that
they are the Royal Tribe, the King's own people, because
the name Gewis occurs in the royal pedigree."   Nid yw o
bwys gan Young a oedd hwnnw yn hynafiad gwir neu'n
ffigur chwedlonol.   "But presumably if the King lived
at Wilton his people lived round him.   And when we
examine our earliest surviving documents we find evidence
that the people round Wilton are in many ways a race
apart, distinguishable not only from the Jutes of Hamp-
shire . . . but from the Saxons of the Thames Valley, and
even of North Wiltshire."

Mae hyn i mi yn dra thebyg i'r modd y cyfeirir at
Feibion Cunedda yng Nghymru, y Cynferchin(g) yn y
Gogledd, a'r Cyndrwynin(g) ym Mhengwern—y gwehelyth
brenhinol yn cymryd y blaen a'r bri : aeth Dunoding yn
enw ardal (cf. Seisyllwch a Morgannwg) a Glywysing, fel
y gwelsom, yn enw rhanbarth.

Mae'r cyfeiriad at y *mechteyrn* yn yr Armes yn bwysic-
ach fyth i'r broblem o'i hamseru.   Rhois fy nadl dros ei
ddeall fel "brenin mawr" yn y *Bulletin* x. 39–40.   Yn B.T.
54, 14, gelwir Duw yn fechteyrn byd (gw. hefyd 41, 4).
Pwy a ymgyfenwai fel "brenin mawr" ymhlith yr Iwys ?
Yn sicr cyfeirir at Athelstan.   Medd Stenton,[10] "In his
royal title he sometimes claimed authority over the whole
of Britain.   He appears as king of all Britain on one of
his coins ; and in many of his charters he is described as
'King of the English and ruler of all Britain'."   Yn ei
freinlenni ceir teitlau fel *monarchus, basileus, imperator.*
Pa ryfedd i'r bardd arfer *mechteyrn* wrth sôn am y cyfryw
unben ?   Pa ryfedd fod y Cymry bron â hollti gan lid
wrth weld eu hen "weision" yn gwisgo'r *mynfer,* neu'r
goron, mor rhodresgar, a'r hen berchenogion yn ddifro
gan fod "alltudion" yn anheddu yn eu lle ?   Ergyd farwol
oedd i'w balchder cenedlaethol.   Gwrthoded y Drindod

[10] F. M. Stenton, *Anglo-Saxon England* (1943), td. 345.

y peth! Ceith ym mynfer! Eto, hynny a fu. "Ac
velly," medd Brut Sieffre am y Saeson, "gwedy bwrw
arglwydiaeth y Brytanyeit y arnadunt, yn awr yn medu
holl Loeger, ac Edelstan yn tywyssawc arnadunt, yn
gyntaf o'r Saeson a wisgwys coron Ynys Prydein"
(R.B.B. 255).

Cynhaliai'r brenin hwnnw gynghorau o fath newydd,
fel y pwysleisia yr Athro Stenton,[11] "Under Athelstan
a new kind of assembly appears in which, even for
ordinary business, the bishops, ealdormen, and thegns of
Wessex were combined with magnates, lay and ecclesias-
tical, from every part of the land." At y cynghorau hyn
y cyfeiria'r Armes (107-9) :—

> Dysgogan awen dydaw y dyd,
> pan dyffo Iwys y un gwssyl.
> Vn cor vn gyghor a Lloegyr lloscit.

Iwys yn ymuno mewn un cyngor â Lloegr i gynllunio
ein difetha, meddai, h.y. Wessex a Mercia yn un : felly
yr oedd hi dan Athelstan, brenin Wessex, a gydnabyddid
hefyd fel brenin Mercia—peth newydd mewn hanes.[12]

Ar bwys hynny, yr oedd brenin Wessex a Mercia ar well
tir i wynebu gwŷr Llychlyn a oedd wedi ymsefydlu yn
York : yn 927 derbyniodd wrogaeth brenin yr Alban a
brenin Ystrad Glud, a meddiannodd York. Tua'r adeg
yma,[13] gorfododd Athelstan dywysogion Cymru i'w gyfar-
fod yn Henffordd (Hereford), ac ymostwng a thalu treth
flynyddol iddo, "peth na feiddiasai neb brenin o'i flaen
hyd yn oed feddwl amdano," sef ugain punt mewn aur,
trichant mewn arian, 25,000 o wartheg, cŵn hela a gweilch
i'r nifer a fynnai, a gosododd yr Afon Wy yn derfyn i

---

[11] Ibid., td. 347.
[12] Ibid., td. 335.
[13] Yn 926 neu 927, medd Syr John Lloyd, H.W., td. 335 :
"within the next four years" yw barn Stenton. Ceir yr hanes gan
William Malmesbury, *De Gestis Regum Anglorum*, i. 148.

Gymru—nid Hafren—yn y De. Mae'r ffigurau yn ffinio ar yr anghredadwy bron ac eto nid yn hollol, medd Stenton. Os yw'r hanesydd yn rhyfeddu at faint y dreth, gellir dychmygu beth oedd ei heffaith ar y neb y disgwylid iddynt ei thalu. Credaf mai ati hi y cyfeirir yn yr Armes, unwaith a dwywaith a mwy, gan ffyrnigo fwyfwy. Mae meirion neu stiwardiaid y Mechteyrn yn dod i gynnull eu tretheu nad yw'r Cymro am eu talu (21–4) ; anaelau fydd y trethau a gynullant (72) ; gwŷr Dehau "eu trethau a amygant" (78) ; marwolaeth fydd rhan y meirion, yng ngorffen eu trethau angau a wyddant (84) ; ni chasglant byth bythoedd eu gwartheg treth i'w buarthau (86) ; dielir y dreth, pan fydd eu celaneddau "heb le i syrthio," meirw yn dal y meirw i fyny ar faes y gwaed (122–3). Oddi wrth hyn oll casglwn fod y dreth hon yn drwyadl amhoblogaidd !

Ond mae mwy yma na phrotest ffyrnig yn erbyn treth ormesol. Darogenir brwydro rhwng Cymry a Saeson am lan, am allt, ac *am Gwy*, h.y. ar Afon Wy (58). Nid oedd y terfyn newydd chwaith yn gymeradwy. Efallai mai at raib y Saeson yn hyn o beth y cyfeirir yn ll. 53, "gwnaent hwy aneiriau (neu droeon gwarthus, cywilyddus) eisiau trefddyn," eisiau lle i drigo. Barna Syr John Lloyd fod yr Wy am gryn bellter o'i haber eisoes yn derfyn rhwng y ddwy genedl yn y seithfed ganrif.[14]

I grynhoi, cyfansoddwyd yr Armes cyn dyfod y Norman : ysbaid wedi sefydlu gwŷr Llychlyn yn Nulyn yng nghanol y nawfed ganrif ; defnyddia'r awdur yr enw Glywysing, a oedd ar arfer am deyrnas helaethach na Morgannwg yn y ganrif honno, a geilw wŷr Wessex ar yr enw hynafol Iwys : geilw eu brenin (yn goeglyd ?) yn Fechteyrn, "y Brenin Mawr." Yn 925 daethai Athelstan i'r orsedd, ac ymorchestai yn yr enwau brenhinol mwyaf

[14] H.W., td. 274. Lladdwyd Tewdrig ar Ryd Din-dyrn ar Wy cyn 630.

ffrostfawr (*Unben, Ymerawdwr*, a *Basileus*, y gair Groeg am frenin), gan honni gwisgo coron Ynys Prydain, canys teyrnasai'n uniongyrchol ar Wessex a Mercia o'r cychwyn, ar deyrnas Daniaid Efrog yn fuan trwy orchfygiad, a chydnabyddid ei uchafiaeth yn Ystrad Glud a'r Alban, a Chymru. Hawliodd deyrnged gan y Cymry oedd yn dreth orthrwm arnynt : yn y de gosododd Afon Wy fel terfyn. Gostegodd ryw gythrwfl yng Nghernyw yn syth wedyn, gan fwrw'r Brython o Gaer Ŵysg (Exeter), a phennu'r Afon Tamar yn derfyn mwyach.

Ef yn ddiau yw *Mechteyrn* yr Armes. Yn anffodus ni fedr yr haneswyr roi adeg bendant y cyngor yn Henffordd, dim ond rywdro rhwng 927 a 930. Nid cŵyn am hen friw a gawn ni yn y gân, ond llosgfa annioddefol briw newydd. Felly, hyd y gwelaf i, mae'n rhaid i ni amseru'r Armes "tua 930."[15]

II. BRWYDR BRUNANBURH

Ategir hyn gan ystyriaeth arall. Mae'r daroganwr yn proffwydo cynghrair llydan yn erbyn y Mechteyrn. Caiff y Cymry gynhorthwy amryw wledydd (llwyth lliaws gwlad, 129) yn erbyn y gorthrymwr, a thrwy gymorth y

---

[15] Yn 1894 darganfuwyd tri ar ddeg o arian bath Seisnig a Dwyreiniol mewn gardd yng nghefn tŷ sydd bellach yn fanc Midland, High Street, Bangor. Mae un yn dwyn arysgrif *Sihtric Gale*, Northumbria, 925–7 ; yn York y bathwyd y nesaf, arian St. Peter, 925 ; wedyn Edward yr Hynaf, 901–25 ; a phump o'r Dwyrain a fathwyd yn Samarkand, Turkestan, i'r dwyrain o'r Caspian, 902–9. Yn awr trysorir y cyfan yn Amgueddfa Coleg y Brifysgol, Bangor. Tybir mai Viking oedd eu perchennog, gan fod y Scandinafiaid yn masnachu â'r Dwyrain ; ym mhwrs un ohonynt hwy y disgwylid y gymysgfa arbennig hon o arian bath. Sylwer ar yr amseroedd : collwyd hwy tua 927. Tybed nad un o genhadau y Scandinafiaid oedd, a ddaethai i Fangor i geisio gan frenin Gwynedd i ymuno yn y rhyfel yn erbyn Athelstan ? Cytuna Mr. Ralegh Radford â'r awgrym.

rheini, cred yn ffyddlon y medrir gyrru'r Saeson i'r môr
ac adennill "unbeiniaeth" Prydain yn ôl i'w hen
berchenogion priod.

Gwêl fyddin o Gernyw yn ymladd o'u plaid. Yn 930
yr oedd hynny yn eithaf tebyg—hen gysylltiad gwaed ac
iaith, a'r cyd-ofid newydd dan ormes Athelstan. Dis-
gwyliai help Brython eraill o'r Gogledd, bro'r hen arwyr
gynt mewn chwedl a hanes, Ystrad Glud, cartref Urien
Rheged, ac aml i wron arall. Onid oedd siawns dda i gael
cytundeb am y tro â'r Daniaid oedd newydd golli eu
teyrnas yn y Gogledd, a gweld difurio ei phrif ddinas,
Efrog ? Yr oedd ganddynt hwy gymrodyr yn Nulyn,
a feddai ar lynges gref, a byddin wedi ei hen arfer i ryfela :
yn sicr fe gaent gymorth hael gan y rheini i dalu'r pwyth.
O'r gorau : daroganai y byddai'r Cymry hefyd yn cymodi
â gwŷr Dulyn. Yn sgil y rhain daw lluoedd o Wyddyl
Iwerddon, "gwŷr gwychyr gwallt hiryon" (147), a
Gwyddyl Prydyn (Sgotiaid yr Alban), "ergyr-ddofydd,"
medrus eu hergydion. Chwaneger atynt lu aneirif o
Gymry, byddinoedd Cadwaladr a Chynan :—

> Llym llifeit llafnawr llwyr y lladant. (79)

Ond anodd deall sut y gallodd restru'r Llydawiaid hefyd
yn ei fyddin ddarogan ; cwmni hardd o farchogion dewr :—

> Dybi o Lydaw prydaw gyweithyd
> Ketwyr y ar katueirch.

Yr oeddynt yn perthyn i'r Cymry o ran gwaed ac iaith,
mae'n wir, ond cwbl annhebyg oedd iddynt ymuno yn y
rhyfel, gan fod Athelstan wedi dangos mwy o garedig-
rwydd i'r Llydawiaid nag i'r un rhan arall o weddillion
y Brython. Yn 919 ymosodasai llu o Lychlynwyr ar
Lydaw, a ffoisai llawer o Lydawiaid am nodded i Loegr.
Yn eu plith yr oedd Alan (ŵyr Alan Fawr, yr olaf a
deyrnasodd ar Lydaw gyfan). Efallai y ganed ef yn
Lloegr, medd Stenton : beth bynnag,[16] yno y bedyddiwyd

---

[16] Stenton, *Anglo-Saxon England*, td. 343.

ef, ac Athelstan a fu dad-bedydd iddo, a noddwr byth
wedyn.   Cododd y Llydawiaid yn erbyn eu gorthrymwyr,
ac ymunodd Alan yn y frwydr : ar ôl i'r ymdrech fethu'n
drychinebus, dychwelodd i Loegr yn 931.   Yn 936, gyda
chymorth Athelstan, dug lawer o'i gyd-alltudion yn ôl
i'w gwlad, ac ymsefydlodd yn hen dreftadaeth ei deulu.
Teg yw casglu nad oedd yr amgylchiadau yn Llydaw yn
gyfryw ag y gellid disgwyl yn hyderus iddi ymuno mewn
rhyfel yn erbyn Athelstan.   Atega hyn—am ei werth—
930 fel amcan am adeg cyfansoddi'r Armes.

Gyda hyn o eithriad, yr oedd rhagolwg y daroganwr ar
beth a allai ddigwydd yn eithaf teg.   Yn 934 ymosododd
Athelstan ar yr Alban, ar dir a môr, ond heb gael y Sgot-
iaid i roi cad ar faes iddo.   Yn 937 dyma Olaf o Ddulyn,
a Brenin yr Alban, a Brenin Ystrad Glud, yn uno eu
byddinoedd ac yn ymosod arno yntau.   Ar ôl brwydro hir
a chaled mewn lle a elwid Brunanburh (*Brune* yn *Annales
Cambriae* ;   R.B.B. 261, ryfel *brun*), collasant y dydd yn
hollol, gwasgarodd eu lluoedd, gan adael pum brenin,
saith iarll o Iwerddon, a mab Brenin yr Alban, yn feirw
ar y maes.   Enillodd Athelstan fuddugoliaeth fawr ar ei
holl elynion.[17]   Cyfiawnhaodd ei hawl i ymgyfenwi yn
Fechteyrn !

Ond costiodd yn ddrud iddo yntau mewn dynion.
Hawdd yw tybio y gallasai byddinoedd Cymru droi'r
fantol.   Yr oedd Llydaw mewn digon o helynt gartref,
a Chernyw newydd gael profiad o golli rhyfel yn erbyn
Athelstan.   Ond beth am y Cymry ?   Ple'r oedd Gwyn-
edd ?   Ei brenin hi ar y pryd oedd Idwal Foel ab

[17] Stenton, *Anglo-Saxon England*, td. 338.   Mewn llawysgrif o'r
ddegfed ganrif ceir chwe phennill pedair llinell yn Lladin i ddathlu
ei fuddugoliaeth, Du Meril, *Poesies Populaires Latines*, 1843,
td. 270-1 ; a chân gyfoes mewn Hen Saesneg, gw. Campbell,
The Battle of Brunanburh, 1938.

Anarawd—a dywedir ei fod ef yn arfer mynychu "cyng-horau" Athelstan. Beth am Ddyfed a Glywysing ? Hywel Dda oedd mewn awdurdod yno, ac ef oedd ar flaen pawb o'r mân frenhinoedd Cymreig yn ei ffyddlondeb i'r cyfarfodydd hyn, ac yn ei deyrngarwch i frenin Lloegr. Gwell dyfynnu geiriau Syr John Lloyd ar y pwnc : "All that is known of Hywel points him out as a warm admirer, not only of Alfred, but also of English civilisation : he led no expedition across the border, but instead secured to Athelstan the faithful allegiance of his brother chiefs, even in that year of rebellion, when the league against Wessex included the Scots, the Danes, and the Strathclyde Britons, and only the Southern Britons held aloof."[18]

Ychydig a wyddys am Idwal, onid hyn, ar farwolaeth Athelstan cododd mewn gwrthryfel yn erbyn y Saeson, a lladdwyd ef. Yn y drefn arferol, buasai Iago ac Idwal, ei feibion, wedi etifeddu Gwynedd ar ei ôl, ond daeth Hywel Dda o'r De (oedd yntau yn ŵyr i Rodri Mawr) a'u gyrru hwy allan, a goresgyn Gwynedd (a Phowys, yn ôl pob tebyg) iddo ei hun, nes ei fod yn teyrnasu ar Gymru gyfan ond y dim, a hynny, wrth gwrs, fel is-frenin o dan frenin Lloegr.

Sut bynnag, ar ôl i Gymru golli'r cyfle digyffelyb hwn i ymuno yn erbyn Athelstan, ac ar ôl gweld gorchfygiad alaethus aelodau cryfaf unrhyw gynghrair gwrth-Athelstan ym mrwydr Brunanburh, a oes modd meddwl y byddai gan neb Cymro galon i gyfansoddi Armes Prydain ? Rhaid amseru'r gân cyn 937.

III. Y DAROGANWR

Pwy bynnag ydoedd y daroganwr, anodd credu na chlywsai ryw si fod cynghrair o fath yr uchod ar hwyl. Ni ellid paratoi ar gyfer ymgyrch mor bwysig heb fod

[18] H.W., td. 336.

cryn ymgynghori ac anfon cenhadau gan yr aelodau at ei gilydd. Rhaid casglu milwyr a llongwyr a llynges ar raddfa helaeth at gyrch fel un 937, ac nid oedd modd gwneud hynny mewn dirgelwch hollol. Y lle tebycaf i glywed sôn am y darpariadau hyn oedd mewn mynachlog. Gwyddys fod cryn gyfathrach rhwng mynachlogydd De Cymru ac Iwerddon : yr oedd Tyddewi yn arbennig yn gynefin â chroesawu ysgolheigion Gwyddelig ar eu taith i Loegr a'r Cyfandir. I dalu am eu croeso, byddent yn adrodd y "newyddion diweddaraf" i'w lletywyr. Os oedd brenin y Daniaid yn Nulyn a phorthladdoedd eraill yn casglu llynges frenhinol, gellid disgwyl i'r mynaich crwydrol hyn wybod am y peth a rhoi eu syniad hwy am amcan y cyrch a arfaethid. A cherddai'r sôn o fynachlog i fynachlog. Awgryma hyn fod y daroganwr nid yn unig yn ŵr o Ddeheubarth Cymru, ond yn fynach o'r De. Credaf fod ambell gyfeiriad yn yr Armes o blaid y ddamcaniaeth.

Cyfeiria at y *Drindod* (41, 97), *Mab Mair* (25, 45) ; i Dduw a *Dewi* y cyflwyna'r milwyr eu hunain (51), a lluman *Dewi* fydd o flaen y llu (129) : gweddïa "Boed tywysawg *Dewi* i'r rhyfelwyr" (195) : breintiau ein *saint* a fethrir dan draed, yn enwedig "rheithiau *Dewi*" (139–40) : trwy eiriolaeth *Dewi* a saint Prydain y gor-fyddir (105) : o blaid *Dofydd*, "yr Arglwydd," yr ymleddir (166), a theyrnedd *Dews* a gedwis eu ffydd (180) ; mewn cyfyngder *"Gelli Caer* a'm Duw y sydd" : a chloir y gerdd â mawl i'r *Duw* didranc, a fydd byth yr un.

Nid rhy feiddgar yw tybio, gan hynny, fod a wnelai'r bardd hwn rywbeth â'r Eglwys, a bod ei gartref yn nhueddau *Gelli Gaer.* Nid bardd wrth ei grefft ydoedd, neu ni lefarai mor ddirmygus am yr *angawr brydydd* (193), sef y bardd gwancus, awyddus am dâl, cybyddlyd. Dyma'r gair iawn am y beirdd swyddogol—yn yr oes honno, gellid meddwl.

Ar yr un gwynt enwa un arall nad yw'r Cymry i'w geisio
na gwrando arno, sef y *llyfrawr*. Dangosodd yr Athro
Tom Jones mai benthyg o'r Lladin *librarius* yw hwn.[19]
Yn gyffredin golyga "ysgrifennydd llyfrau, ceidwad
llyfrau," ond cafodd ef enghreifftiau da ohono yn golygu
"dyn hysbys, dewin," a broffwydai ddigwyddiadau i
ddyfod—a mynnu tâl da am ei waith. Yn sicr, addas yw
hynny yn y testun, lle rhoir siars nad oes neb i geisio
llyfrawr na *phrydydd* gwancus er mwyn cael gwybodaeth
am y dyfodol. Yr unig broffwydoliaeth wir am dynged
yr ynys hon yw *Yr Armes!*

Os mynach o Ddeheubarth tua 930 oedd y daroganwr,
deiliad i Hywel Dda ydoedd, eto gwrthwynebwr ffyrnig a
thanbaid i'w bolisi o gydnabod uchafiaeth brenin Lloegr,
byw mewn heddwch â'r Saeson, a thalu teyrnged i'r Iwys.
Tafod yw i'r wrthblaid genedlgarol. Dengys beth oedd yr
ysbryd a ffynnai ymysg eglwyswyr y cyfnod, y gwŷr a
fedrai ddarllen Lladin, a defnyddiodd ddull y beirdd
Cymreig o symbylu gwreng a bonheddig i ryfela â'r gelyn
traddodiadol, sef trwy ganu darogan. Y mae ei Armes
danbaid rymus yn dystiolaeth i frwdfrydedd ei ysbryd
Cymreig ac o chwerwder ei siom yn ei frenin.

IV. ASSER

Medrwn gasglu nerth y teimlad gwrth-Seisnig oddi wrth
lyfr Asser ar Alfred, genhedlaeth ynghynt. Amlwg yw
fod yr un syniadau a'r un teimladau yn ffynnu yr adeg
honno, ac i gyfarfod â hwy y cyfansoddwyd y llyfr hwnnw
yn y modd arbennig sydd iddo. O leiaf, dyna fy marn i.

---

[19] B. xi. 137–8. Cf. hefyd B.T. 1, 17, Neu Leu a Gwydyon.
a uuant *geluydon*, neu a wdant *lyfyrion*. Pa wnant pan daw nos
a lliant "A ŵyr Lleu a Gwydion, swynwyr celfydd, neu *lyfyrion*,
beth a wnant pan ddaw nos, a rhyferthwy ?" Tybiaf mai ffurf
ar luosog *llyfrawr* sydd yma : *llyfrorion* (cf. cerdd*orion*), ac nid
ffurf ar luosog *llyfwr*, *llwfr*, "coward."

Gwyddyl Iwerddon, gwŷr Cernyw, ac Ystrad Glud,
cyfeirir at "feirion" rhyw *fechdeyrn* yn casglu treth drom
oddi ar y Cymry : ymffrost annioddefol y Saeson, hil
Hors a Hengys, cechmyn Danet, a ddaethai yma yn
ddigon tlawd, heb dir na daear, ond sydd bellach am
ddileu'r Brython, a meddiannu eu gwlad. Yna cyferfydd
byddinoedd y Cymry a'r Saeson a brwydro ar lan yr
Afon Wy : bydd lladdfa fawr ar y meirion a'u llu yn
Aber Peryddon. Cymry'r Dehau yn gwrthod talu y
dreth a ofynnir ganddynt. Cynan a Chadwaladr yn
gyrru'r allmyn ar ffo nerth eu traed i Gaer Wynt.
Gelwir y gelyn yn Iwys. Yn y frwydr bydd y celan-
eddau gan amled eu rhif yn methu cael lle i syrthio.
Lluman Dewi Sant yn arwain y Gwyddyl i ymladd o'n
tu ni : gynhon Dulyn ; milwyr dewr o Alclud, ac o
Lydaw yn brwydro o'n hochr ni. Gwarth ac angau i'r
Saeson. Clod heb fesur i Gynan a Chadwaladr : hwy
fydd piau o Fynaw hyd Lydaw, o Ddyfed hyd Danet.
Yna bydd Iwys, Allmyn, Saeson, yn cyrchu eu llongau
yn Aber Santwic, a chychwyn eilwaith i alltudedd,
i grwydro'r moroedd heb le i roi eu troed i lawr. Peidied
neb â cheisio armes arall i'r ynys hon namyn hyn.
Boed Dewi yn dywysog i'n rhyfelwyr ! Yn yr ing mae
noddfa yng Ngelli Gaer, a Duw sydd anghyfnewidiol,
byth yr un.

Dyma freuddwyd y bardd. A oes modd cael cefndir addas
i'r ofnau a'r gobeithion hyn ? Mi gredaf fod.

I ddechrau, rhaid gosod amseriad i'r Armes *cyn* dyfodiad
y Norman yn 1066, achos pa ddiben a fuasai breuddwydio
am gael gwared o'r Sais o Brydain a gadael y Norman
mewn meddiant ? Nid oes air o sôn amdano. Yr *allmyn*
yw'r Saeson, yr estroniaid a ddaeth yma gyda Hors a
Hengys. Gwyddai'r daroganwr am waith Nennius tuag
800, a chyfeiria at y traddodiad yn yr *Historia Brittonum*
mai alltudion oedd y Saeson o'u gwlad. *Nis dioes daear.*

Mynach o Dyddewi oedd Asser, a Chymro, er gwaethaf yr enw Beiblaidd arno, fel lliaws o Gymry eraill. Mae Stevenson mewn cryn benbleth ynghylch tarddiad ei enw (gw. td. lxx o'i lyfr) ; dywed fod enghreifftiau ohono yng Nghymru ond nid yn Lloegr, ac eto nid yw o darddiad Celtig ! Ceir yr esboniad yn Genesis xxx, 13 : Asser oedd fab i Jacob o Leah, cf. yr *index* i Lyfr Llandaf, lle ceir Cymry eraill yn ymgyfenwi yn Abraham, Daniel, Dafydd (Dewi), Iago (Jacob), Isaac, Ismael, Samson, Salomon (Selyf). Gwahoddodd Alfred Asser i'w lys, er mwyn cael ei help i addysgu ei bobl ; hoffodd ef, ac ymhen ysbaid fe'i gwnaeth yn esgob Sherborne. Ysgrifennodd yntau lyfr yn 893 o hanes y brenin ychydig cyn marw Alfred (? 899), "one of the most important and at the same time most difficult of the sources of our early history," meddai Stevenson.[20]

Ni soniaf ond am ddau anhawster ynglŷn â'r llyfr diddorol ac anodd hwn. Dyma'r cyntaf : ysgrifenna Asser yn Lladin ; eto, dro ar ôl tro, wedi iddo enwi lle yn Lloegr, esbonia ef mewn Cymraeg, neu rhydd yr enw Cymraeg a'i esbonio yn Lladin. Fel hyn :—

Cap. 30. Daw'r Daniaid i Snotengaham, "quod Britannice 'Tig guocobauc' interpretatur, Latine autem 'speluncarum domus'."

Y lle yw Nottingham ; ei enw Cymraeg yw *tig guocobauc*, "tŷ gogofawg," yn Lladin "house of caves." Hyd y dwthwn hwn, yr ogofeydd hyn mewn craig ynghanol y lle yw un o ryfeddodau hynafol pwysicaf Nottingham.

Cap. 49. Exanceastre [Exeter], Britannice autem *Cairuuisc*, sef Caer ar yr Afon Wysg, enw'r Exe yn Gymraeg.

Cap. 52. Cippanham [Chippenham] . . . in orientali ripa fluminis, quod Britannice dicitur *Abon* [sef Afon].

[20] W. H. Stevenson, *Asser's Life of King Alfred*, 1904, td. xi.

Cap. 55. Saltus qui dicitur Seluudu [Selwood,] Latine autem "sylva magna," Britannice *Coit Maur* [Coed Mawr].

Cap. 57. Cirrenceastre [Cirencester], quae Britannice *Cairceri* nominatur. (Sylwer mai *Kaer Geri* a geir hefyd yn ll. 69 o'r Armes, lle dangosir y treigliad ar ôl *caer*, gair benywaidd.)

Mae enghraifft ddiddorol arall yn cap. 49. Werham [Wareham] . . . inter duo flumina *Frauu* (et Terente) et in paga quae dicitur Britannice *Durngueir*, Saxonice autem Thornsaeta [Dorset] ; cf. Stevenson (td. 247–50). *Durnovaria* oedd ffurf yr ail ganrif, a roes *Durngueir* yn Asser (a *Dyrnwair* yn yr orgraff ddiweddar).[21] Atgo ohono sydd yn *Dor*-chester a *Dor*-set.

Dyna'r broblem gyntaf. Pam y cyfieithodd Asser yr enwau Seisnig, a gadael enwau lleoedd Cymreig yn ddiesboniad ? Yn sicr, fel y tybiodd rhai o'r haneswyr, am ei fod yn ysgrifennu ei lyfr ar gyfer Cymry, nid Saeson.

Daw hyn i'r golwg yn fwy amlwg fyth ym mhennod 80. "Yn yr amser hwnnw ac ymhell cyn hynny perthynai holl wledydd dehau *Britannia* [sef *Cymru*] i Alfred Frenin, ac iddo ef y maent eto yn perthyn : nid amgen, Hyfaidd, ynghyda holl drigolion Dyfed, oherwydd gormes chwe mab Rhodri [sef gwŷr Gwynedd], a blygasant i'w awdurdod brenhinol. Hywel hefyd, fab Rhys, brenin Glywysing, a Brochfael a Ffyrnfael, meibion Meurig, brenhinoedd Gwent, rhag trais a gormes Eadred Iarll a gwŷr Mercia, o'u gwirfodd a geisiasant yr un brenin, fel y caffent arglwyddiaeth ac amddiffyniad ganddo rhag eu gelynion. Elisedd hefyd, fab Tewddwfr, brenin Brycheiniog, oherwydd trais yr un chwe mab Rhodri, o'i wirfodd a geisiodd y brenin uchod yn arglwydd. Anarawd hefyd mab Rhodri (a'i frodyr), gan wrthod o'r diwedd ei gyfeillgarwch â gwŷr

---

[21] Ar *gwair*, cf. B.B.C.S. xi. 82–3 : *Dwrn*, cf. Din-*dyrn*. Etyb *Frauu* i'r *Ffraw* yn Aberffraw, a *Tarente* (*Tarrant*) i *T(a)rannon*.

Northumbria, na chawsai ddim budd ond yn hytrach
colled o'i achos, a geisiodd yn ddyfal gyfeillgarwch â'r
brenin, ac a ddaeth i'w wyddfod . . . ac a blygodd i'w
arglwyddiaeth, ef a'i holl ddeiliaid."

Gwir yw yr hen ddihareb, "Ni bydd deun dau Gymro."
Pan oedd raid dewis mechteyrn, yr oedd yn well gan bob
talaith o Gymru ddewis estron.   Nid oedd Hywel Dda
ond yn dilyn esiampl ei flaenoriaid.

Dwg hyn ni at yr ail broblem ynglŷn â llyfr Asser.
Yn hanes Alfred disgrifia ef fel dyn da odiaeth a brenin
da : yn wir, yn rhy dda i fod yn wir.   Yn *Asser's Life of
King Alfred* (1908), dywed L. C. Jane, td. xl, fod ei ddis-
grifiad o'r brenin a'i lys yn eirwir yn ei sylwedd.   "At the
same time there is every reason to regard that account as
idealised and exaggerated.   We cannot accept as literally
true the author's description of the royal household,
which is false alike to the period and to human nature.
Nor can it be doubted that there is gross exaggeration in
the account of the administration of the king. . . . Alfred
was not all that he is represented to be by our author, nor
was his reign a golden age."   I'r un pwrpas y sylwodd
Hodgkin, yn ei *History of the Anglo Saxons*, td. 537 : "The
side of Alfred's character with which Asser could best
sympathize was the religious.   The biographies known to
Asser were the Lives of Saints, and he was therefore
naturally inclined to magnify, according to the conven-
tions of hagiography, the saint-like characteristics of his
hero" ; td. 676, "Asser's Alfred is almost a crowned monk,
worthy of a niche by the side of St. Louis of France."[22]

---

[22] Gw. Lloyd, *History of Wales*, am y manylion, td. 324–30 ;
Jane, *Asser's Life of King Alfred*, td. xxx–xxxiv, am y syniad.
Synna Hodgkin at Asser yn disgrifio Alfred yn rhuthro i'r gad
aprino more, fel baedd gwyllt o'r coed, c. 38.   Nid oedd ond yn
tynnu ar eirfa y Cynfeirdd Cymreig, cf. *twrch* am filwr dewr, a *tarw
trin* am y gymhariaeth yn yr hen ganu.

Digon yw hyn ar y dull. Beth am ei amcan yn gorliwio
Alfred fel sant ? Ceisio ennill ei ddarllenwyr Cymreig
(y clerigwyr) y mae i'w blaid ef, trwy ddangos mor wrthun
oedd i'r penaethiaid Cymreig gefnogi'r paganiaid, y
Daniaid eilun-addolgar, yn hytrach na'r Cristion gloyw,
Alfred, oedd yn batrwm o'r hyn y dylai brenin fod, fel
dyn, fel crefyddwr, fel llywodraethwr.

Saif awdur yr *Armes* fel cynrychiolydd y blaid arall,
a thyst yw ei bod yn fyw a llafar genhedlaeth ar ôl i Asser
ysgrifennu ei lyfr. Neu ynteu, rhaid credu fod rhodres
ymffrostgar a gormesol Athelstan wedi ail ennyn casineb
at y Sais, ac atgyfodi yr un gwrthwynebiad. Yn sicr, nid
oedd Athelstan o gyffelyb anian i Alfred. Prin y medrai
Asser ei hun, pe bai'n byw yn 930, wneud sant gostyngedig
ohono ef, a chael Cymry i'w goelio. Os efelychodd Hywel
Dda y brenin da yn Alfred, efallai y bu esiampl Athelstan
yn ormod iddo pan ddaeth cyfle i ymosod ar Wynedd.

V. VITA MERLINI

Os yw'r ddadl uchod yn deg ar amseriad yr Armes,
buddiol fydd ystyried ei pherthynas â'r gân Ladin *Vita
Merlini* a briodolir i Sieffre o Fynwy. Barn yr Athro J. J.
Parry[23] yw mai Sieffre oedd yr awdur, ac iddo ei chyfan-
soddi yn 1150–1. Os canwyd yr Armes tua 930, gallai yn
hawdd fod wedi gweld copi ohoni, yn arbennig gan fod
iddi gysylltiad pendant â'r Deheubarth (Glywysing) ac â
chylchoedd eglwysig yn y De. Hefyd, darogan oedd, ac
ymddiddorai Sieffre mewn daroganau yn anad dim, a cheir
yn y *Vita* ddarnau sy'n tarddu'n ddiamheuol o ganu
cynnar megis yr hyn a gadwyd i ni yn *Llyfr Taliesin*, y
llawysgrif y mae'r Armes ynddi. Perthyn *Llyfr Taliesin*
i gyfnod diweddarach na Sieffre, ond er mai oddeutu 1275

[23] J. J. Parry, *The Vita Merlini*, University of Illinois : Studies
(1925), td. 13. Rhydd drafodaeth dda ar waith y golygwyr
blaenorol (Black, Michel, Thomas Wright, San-Marte) a'r
llawysgrifau ; cywirodd y testun, a rhoes gyfieithiad o'r cyfan.

yr ysgrifennwyd ef, mae digon o brofion fod peth o'i
gynnwys yn perthyn i gyfnod hŷn o lawer, yn sicr ymhell
cyn 1150, fel y dengys yr orgraff hynafol a oroesodd yma
ac acw.

Prin iawn, fodd bynnag, yw olion *sicr* yr Armes yn y
Vita Merlini. Wrth gwrs, y gwaredwyr yn y naill a'r llall
yw Cynan a Chadwaladr, ond cyfeirir at y ddau mewn
daroganau eraill (B.T. 31, 12 ; 74, 24 ; B.B.C. 52, 3–4 ;
58, 12), a Chadwaladr ei hun mewn amryw (B.T. 76, 21 ;
77, 5, 22 ; 78, 8, 17 ; 80, 17, 20 ; B.B.C. 48, 2 ; 51, 16 ;
60, 5). Ond ymddengys un cyfeiriad yn weddol sicr at yr
Armes yn y *Vita,* ll. 967–71. Trechir y Cymry am amser
maith gan y Saeson, medd Merlin (Myrddin),

> Donec ab Armorico ueniet temone Conanus,
> Et Cadwaladrus Cambrorum dux[24] uenerandus,
> Qui pariter Scotos, Cambros, et Cornubienses,
> Armoricosque uiros sociabunt federe firmo ;
> Amissumque suis reddent diadema colonis,
> Hostibus expulsis, renouato tempore Bruti.

"Hyd oni ddaw Cynan o Lydaw [neu *o Lydewig gerbyd*],
a Chadwaladr, tywysog clodwiw y Cymry, ac uno ynghyd
mewn cynghrair cadarn Ysgotiaid a Chludwys, Cernywiaid
a Llydawiaid, ac adfer i'w pobl y goron a gollesid, wedi
gyrru allan y gelynion, gan adnewyddu cyfnod Brutus."

Mae'n bosibl fod *Scoti* yma yn golygu *Gwyddyl* yn
ogystal â thrigolion Scotland, nes bod y cynghrair hwn yn
cynnwys yr holl aelodau a enwir yn yr Armes ag eithrio
Daniaid Dulyn. Hwyrach na wyddai Sieffre mai hwy
oedd *gwŷr Dulyn* y daroganwr ! Hwyrach nad oedd
wahaniaeth ganddo ! Yn y llinell gyntaf, dywed wrth ei
noddwr mai cân *iocosa*[25] yw'r *Vita,* h.y. cân ddifyr, nid

---

[24] Yn lle *dum* yn y llawysgrif. Felly hefyd San-Marte.

[25] Mae'r Athro Parry yn cyfieithu *iocosa* yma fel "humorous,"
ond fel "pleasant" yn ll. 201 ; nid yw "laughingly" yn cydfynd
ag *adorat* yn ll. 532 chwaith. Ansoddair fel "llawen," yn y
defnydd ohono yn y Pedair Cainc, yw'r tebycaf.

cân ddifrif. Ei amcan yw difyrru ei ddarllenwyr. Dyna
pam y rhydd y fath gymysgedd deunydd ynddi, ac y
dibrisia beth mor anniddorol â gofal am gywirdeb ffeith-
iau. Mae lle i gredu mai yn yr un ysbryd y lluniodd
Sieffre ei *Historia Regum Britanniae* (neu *Frut y Brenhin-
edd*) : rhyw *historia iocosa* ydyw yntau ! Dyma farn
Syr John Lloyd ar hyn : "It is idle to look for history,
in any guise, from a writer who allowed himself such
freedom and whose first and last thought was for literary
effect."[26]

Heblaw y cyfeiriad posibl uchod, ni welaf ddim y gellir
ei ddyfynnu fel adlais o'r Armes. Nid yw ll. 599–600 yn
eithriad :—

> Cambrigei missos post illos Cornubienses
> Afficient bello.

Hawdd cywiro y ddeuair cyntaf gyda San-Marte i *Cambri
gemissos*, a chymryd yr ail, gyda Parry, fel camddarllen
Gewissos (yn well fyth *Geuuissos*). Cyfieitha Parry :
"The Welsh shall attack the men of Gwent, and afterwards
those of Cornwall," ond anodd gennyf ei ddilyn. Nid
Gwenhwyson yw'r *Gewissi*, a phaham y buasai Cymry yn
rhyfela yn eu herbyn hwy, ac wedyn yn erbyn Cernyw ?
Ceir darlleniad arall o'r llinell gyntaf mewn tair llawysgrif,
sef *Cambri Gemussos Gemussi Cornubienses*. Cywirer yma
eto i *Gewissi*, a'i ddeall fel gwŷr Wessex, a cheir darogan
weddol gredadwy, Cymry yn rhyfela yn erbyn Wessex,
a Wessex yn rhyfela yn erbyn Cernyw. (Gweler td. xii
ar *Iwys=Gewissi*.) Ond ni thâl hynny chwaith. Yr oedd
Sieffre yn defnyddio *Gewissi* nid yn ei ystyr hanesyddol,
ond mewn ystyr fympwyol. Yn ll. 986, gelwir Vortigern
(*Gwrtheyrn*) yn "consul *Gewissus*" ; felly yn ei *Historia
Regum Britanniae* (vi, 6) "consul *Gewisseorum*"—yn y
Brut Cymraeg, "iarll oed hwnnw ar Went ac Ergig ac
Euas."[27] Gelwir Octauius "dux *Geuuisseorum*" ; ym

[26] H.W., td. 526–8.
[27] R.B.B. 127.

Mrut Dingestow, yn Eudaf "yarll Ergyg ac *Yeuas*."[28]
Yn sicr, tebygrwydd enw'r ardal hon yn Sir Henffordd
a Mynwy a barodd i'r Cymry dybio mai'r un lle oedd a
chartref y *Gewissi*. O ran sain, nid oedd gan *Went* na
Gwennwys siawns i gystadlu ag *Ewias* !

Efallai mai coll amser yw ceisio cysondeb o unrhyw fath
yng ngwaith Sieffre. Eto os oedd *Iwys* a *Gewissi* fel enw
ar wŷr Wessex neu ran ohonynt, yn digwydd bod yn
anhysbys i Sieffre, h.y. os oedd tystiolaeth Beda ac Asser
yn ddieithr iddo, ac os gwelodd y cyfeiriadau yn yr Armes
at yr Iwys yng Nghaer Geri (*Cirencester*), a Chaer Wynt
(neu Gaer Went, *Winchester*), nid syn iddo dybio bod y
Gewissi yn trigo mewn ardal a gynhwysai Sir Gaerloyw,
ac efallai Hampshire. (Sylwer ar *Kaerkeii*—bai am *Kaer-
Keri* yn y *Vita*, ll. 593, a *Kaerwen* (Caer Went), ll. 1485,
er nad yw'r cysylltiadau yr un.) Gallai hynny fod yn
achlysur iddo blannu Octavius yng nghyfnod y Rhufein-
iaid, a Vortigern ar ddiwedd y cyfnod hwnnw, fel ieirll
mewn talaith ddychmygol i'r dwyrain a'r de-ddwyrain o
Ddeheubarth Cymru. Yn llawen gan hynny gwnaeth y
Gewissi yn llwyth o Frython parchus, a rhoes hwy i drigo
yn yr union ardal a feddiannwyd gan ysbeilwyr o'r enw
Gewissi ganrifoedd wedyn !

Nid yw mor anodd deall sut yr aeth yr Iwys=Gewissi
yn ddieithr i Gymry. Sylwer fel y mae'r Cymro a gyf-
ieithodd Ladin Sieffre i Frut Dingestow wedi rhoi *Yeuas*,
yn lle *Euas*, am eu cartref. Ai ceisio yr oedd wneud yr
enw yn debycach i *Iwys* ? Ar bwys orgraff y Brut hwnnw
dywed yr Athro Henry Lewis "ei fod wedi ei seilio yn y
pen draw ar destun a ysgrifennwyd yn gynnar yn y

---

[28] Gw. nodyn yr Athro Henry Lewis, *Brut Dingestow*, td. 228–9 ;
rhydd y ffurfiau hynaf yn Gymraeg ar yr enw yn Llyfr Llandaf,
Eugias, Euias, Ewias : "Camddarlleniad a barodd y cynaniad
diweddar *Euas*, yn lle *Ewias* ; coller yr *i*- gytsain a cheir *Ewas*."

drydedd ganrif ar ddeg."[29] Erbyn hynny yr oedd cof
pur egwan am wŷr Wessex yn y cylchoedd Cymreig : y
gelyn newydd oedd y Norman.

VI. AFON PERYDDON

Yn ll. 18 o'r Armes cyfeirir at Aber *Perydon* fel man y
bydd *meirion mechteyrn* yn cyfarfod i gynnull eu trethau ;
yn ll. 71 cwyna meirion Caer Geri mai anffortunus y bu eu
dyfodiad i Aber *Perydon.* Deallaf hyn fel hen orgraff am
Aber *Peryddon.* Dygir Myrddin i mewn ynglŷn â'r
cyfeiriad yn ll. 18 : dichon felly fod rhyw ddarogan dan
enw Myrddin yn cynnwys proffwydoliaeth am Aber
Peryddon, a bod y ddarogan honno yn hŷn na'r Armes.

Ysgrifennodd Sieffre yr hyn a elwir yn *Prophetia Merlini*
gan San-Marte (a'r *Vaticinium* gan eraill) ar wahân i'w
Historia gyda chyflwyniad gwahanol, sef i Alexander,
esgob Lincoln : yna corfforwyd y ddarogan yn yr *Historia*
fel pennod vii. Ynddi daw'r cyfeiriad hwn, yn Gymraeg
ac yn Lladin :—

> Er hen gvynn ar uarch guelv yn diheu a drossa *auon*
> Perydon, ac a guialen wen a uessur melin arnei.
> Cadwaladyr a eilv Kynan, a'r Alban a dwc yn y ged-
> ymdeithyas. Ena y byd aerua o'r estravn genedloed.
> Yna y llithrant yr auonoed o waet. Ena y llavenhaant
> mynyded Llydav, ac o'r deyrnwialen y coronheir y
> Brytannyeit. Ena y llenwir Kymry o lewenyd, a
> chedernyt Kernyv a irhaa.[30]

> ("Niveus quoque senex in niveo sedens equo, *fluvium
> Perironis* divertet, et cum candida virga molendinum
> super ipsum metabitur. Cadwalladrus vocabit Conanum,
> et Albaniam in societatem accipiet. Tunc erit strages
> alienigenarum : tunc flumina sanguine manabunt.

[29] Ibid., td. xxxv a 70.
[30] *Brut Dingestow,* td. 107.

Tunc erumpent Armorici fontes, et Bruti diademate
coronabuntur. Replebitur Cambria laetitia, et robora
Cornubiae virescent.'')[31]

Mae'r testun Lladin yn amrywio rhyw gymaint oddi
wrth y testun Cymraeg, fel y gwelir. Dywed fod hen ŵr
"gwyn fel eira," ar farch eirwyn yn mynd i *drosi* Afon
Periron, a chodi melin arni. Hyd heddiw gwneud *trosfa*
yw gair Arfon am wneud argae ar *draws* afon i gyfeirio
peth o'i dyfroedd i ffos y felin neu'r cyffelyb. Pwy yw yr
hen ŵr eirwyn hwn sydd mor selog am ddŵr i'w felin ?
Nid oes ond tybio. Ceir Cadwaladr a Chynan, cym-
deithas â'r Alban, lladdfa ar yr estroniaid, afonydd o waed
—megis yn yr Armes. Yn lle mynyddoedd (*montes*)
Llydaw yn llawenhau, ceir ffynhonnau (*fontes*) Llydaw
yn torri drosodd.[32] Bydd Cymru yn llawn o lawenydd,
a derw neu gadernid Cernyw yn ffynnu. Digon tebyg yw
hyn oll i'r Armes, canys ceir yr un cynghreiriaid, ag eithrio
gwŷr Dulyn a'r Gwyddyl, ag a gafwyd ynddi hi.

Enw'r afon yw *Periron* yn nhestun Lladin Griscom
hefyd ; *avon Peryron*[33] yn Peniarth 16 ; ond *Perydon*[34]
sydd yn y Llyfr Coch, ac *avon Beirydon* yn Havod 2.

Gan fod Aber Peryddon yr Armes ar ffordd y gellid
disgwyl i feirion Caer Geri ei thramwy i gasglu eu trethi o'r
Deheubarth, cynigiaf ei fod yn werth ystyried afon y
digwyddir ei chofnodi yn Llyfr Llandaf, td. 141. Mae ei
safle a dweud y lleiaf yn debygol. Daw'r cyfeiriad ati
mewn siartr dan enw Morgan Hen ab Owain, cyfoeswr i
Hywel Dda, sy'n rhoi terfynau *Lann Guoronui*. Anhysbys
yw'r enw bellach, hyd y gwn i : mae tyb Dr. Gwenogvryn

[31] San-Marte, td. 22.
[32] Cf. Griscom, *Hist. Reg. Brit.*, 388, erumpent armorici *montes*.
[33] *Brut Dingestow*, td. 254.
[34] R.B.B. 147.

Evans mai Rockfield, Sir Fynwy, oedd y Llan Oronwy
hon, yn ymddangos yn eithaf teg a rhesymol. Cychwyn
y terfyn o *Mingui*, sef yr afon *Mynwy*, yna i Lygad
Ffynnon *Dioci*, yna "ar hit iguuer bet nant Catlan.
Catlan ini hit bet *Aper Periron*[35] (ar hyd ei gofer cyn belled
â Nant Cadlan : Cadlan yn ei hyd cyn belled ag *Aber
Periron*). Dyma'r enw yn yr un orgraff â Lladin Sieffre,
a hynny mewn copi o freinlen a berthyn i oes Hywel Dda.
Yn wir enwir ef ynddi : "nid yn unig drwy deyrnas
Morgant Frenin . . . ond hefyd drwy deyrnas Hywel Dda,
mab Cadell, sy'n teyrnasu dros Gymru gyfan.'' Os yw'n
ddilys, dyma dystiolaeth gyfoes i'r lle ac i ffurf yr enw.
Saif Rockfield rhyw dair milltir i'r gogledd-orllewin o dref
Fynwy : ar y map gwelir afon fach yn rhedeg i Afon
Fynwy. Deunaw milltir i'r gogledd y mae Henffordd,
lle dyfynnodd Athelstan dywysogion Cymru i'w gyfarfod,
ac y rhoes arnynt ei dreth orthrymus. Oddi yno y buasid
yn disgwyl i'w drethwyr gychwyn allan i'w chasglu.
A chan fod a wnelai Sieffre rywbeth â Mynwy—efallai
fod ei gartref yno, fel y dengys ei enw—nid yw'n anodd
credu y gwyddai ef yn dda am Afon *Periron* a redai
gerllaw.

Mewn orgraff ddiweddarach disgwylid i *Periron*
ymddangos fel *Peryron*, cf. Peniarth 16. Yr hyn a geir,
fodd bynnag, yn Llyfr Taliesin, yw *Perydon*, gyda *d* am
dd ; hynny yw *Peryddon*. A dyna'r ffurf ar led drwy
rannau eraill o Gymru. Myn rhai (gw. y nodyn isod,
td. 18) fod Peryddon yn enw ar Ddyfrdwy : dywed John
Jones, Gellilyfdy, fod enw arall ar honno, sef Aerfen,
cf. Roberts, *Gwaith Dafydd ab Edmwnd*, td. 61, "o Lann

[35] Yna â ymlaen, "Catlan nihit bet Mingui. Mingui nihit diuinid
bet penn arciueir ar pant in icecin ubi incepit ar Mingui.'' Hyd y
gwelaf i, mae hyn yn golygu mai Cadlan yw'r brif afon, a bod
Periron yn ffrwd yn rhedeg iddi ; Cadlan yw ei henw o hyd, nes
ymuno â Mynwy.

vrfvl i lynn *Aerfen.*" Wrth ganmol gŵr o Edeirnion,[36]
dywed Tudur Aled, "Mae breuddwyd am *Beryddon* /
Yr âi gaer hir ar gwrr hon," cyfeiriad amlwg at ryw
ddarogan. Canodd Dafydd Benfras i Lywelyn Fawr,
Gruffudd, a Dafydd, mewn *Marwnad i'r Trywyr
Ynghyd* :[37]

> Tri eres armes trachwres trychion . . .
> Tri chleu eu pareu fal *Peryddon.*

Gall hyn olygu mai Tri oeddynt a fedrai hyrddio eu
gwaywffyn ar y gelyn gyda chyflymder llif Peryddon gynt.
Yn Englynion y Beddau (B.B.C., 63) rhoir Bedd
Gwalchmai ym *Mheryddon,* fel petai'n enw ardal.

A bwrw mai'r un lle yw Aber *Peryddon* yr Armes ac
Aber *Periron* gan Sieffre a'r freinlen yn Llyfr Llandaf, pa
ffurf ar yr enw yw'r cywiraf ? Tyst gwael yw Sieffre i
gywirdeb enw ! Caiff y bai am greu *Merlin* yn lle'r hen
enw *Merddin,* fel y byddai yn haws i'r Ffrancod sôn am y
proffwyd. Gwnaeth wyrthiau ieithegol eraill, er enghraifft,
datgan mai *Cam Roeg* oedd *Cymraeg,*[38] iaith disgynyddion
gwŷr Troea. Gwell peidio â dibynnu gormod arno ef
parthed *Periron* ! Buasai yn union yr un fath â'i ddull
arferol pe gwelsai ddarogan yn y gair ei hun, o'i ddeall fel
peri "achosi," a *rhon,* enw gwaywffon Arthur Frenin !
Dyna ieitheg yr oes : cymerer enghraifft o ddull ysgrifen-
nydd Buchedd Illtud yn esbonio enw'r sant (yn ei ffurf
Ladin, *Iltutus*) fel *"ille* ab omni crimine *tutus."*[39]

---

[36] Gwynn Jones, *Gwaith Tudur Aled,* td. 163 ; mewn nodyn,
td. 584, dywed "Ceir *Nant Beryddon* heb fod ymhell o Landderfel."
Clywais innau gan frodor o Lanuwchllyn, Mr. T. Roberts, Coleg
Normal, Bangor, fod Afon Peryddon yn rhywle tua Rhos Gwalia.

[37] M.A. 222a, copi o Panton 53 ; Evans, *Poetry* ii. 309.

[38] *Historia* i. 16 ; *Brut Dingestow,* td. 19.

[39] Wade-Evans, *Vitae Sanctorum Britanniae,* td. 194.

Anos yw troi heibio'n gellweirus dystiolaeth breinlen
gyfoes â'r Armes.   Ie, ond pa sicrwydd sydd ei bod yn
gyfoes ?   Copi sydd gennym ohoni yn Llyfr Llandaf (tua
1150), ac yr oedd "argraffiadau" o weithiau Sieffre yn
britho'r cyfnod 1135–50.[40] Dichon, gan hynny, fod
copïwr y siartr yn 1150 tan ddylanwad dull Sieffre o ysgrif-
ennu'r enw.   Mae hynny yn ddichonadwy—dyna'r cwbl.
Y peth sy'n sicr yw nad yw'r terfynau yn Llyfr Llandaf
yn cadw at orgraff y breinlenni gwreiddiol lythyren am
lythyren (e.e. *Ebrdil, Euirdil, Efrdil, Emrdil,* y ddau olaf
yn yr un siartr).

Fy nghynnig i yw fod y gwreiddiol yn darllen *Periuon* :
yr oedd *r* yn y ddegfed ganrif, fel y gwyddom oddi wrth
y glosau, yn rhyfeddol o debyg i *n*, ac o'r herwydd i *u*.
Gallesid darllen *u, n,* neu *r* y naill yn lle'r llall.   Safai
Periuon am *Peryfon,* ac ar lafar yngenid ef fel *Peryddon,*
cf. *Eifionydd, Eiddionydd* ; *gwyryfon, gweryddon.* Dig-
wydd *Peryf* yn weddol aml yn y canu cynnar am *Dduw,*
neu arglwydd daearol.   Wrth chwanegu -*on* ato, gellid
enw unigol, personol ohono, megis *gŵr, Gwron* ; *teyrn*
(gair o gyffelyb ystyr i *peryf*), *Teyrnon* : enw duwies, ac o
ganlyniad enw afon, megis *Aeron, Ieithon, Daron,* cf.
Rhiannon.   Dyna pam y gallai fod yn enw ar Ddyfrdwy,
neu ran ohoni, neu afon yn rhedeg iddi, er amheuaeth yr
awdurdodau Cymreig,[41] ac er na weddai o gwbl fel Afon
Peryddon yr Armes.   Mae amryw afonydd o'r un enw,
megis *Aeron* Aberteifi, a'r Hen Ogledd ; *Menei* mewn
amryw leoedd yn y De a'r Gogledd ; *Trannon* yng
Nghymru a *Trent* yn Lloegr (o *Trisantona*).

[40] Gwrthyd Loth yn bendant ddamcaniaeth Dr. Evans mai
Sieffre a gyfansoddodd Lyfr Llandaf; gw. *Revue Celtique,* xv. 369.
Ar amserau cyhoeddi gweithiau Sieffre, gw. Lloyd, *History of
Wales,* td. 524–5, a'r crynodeb o wahanol farnau yn Lewis, *Brut
Dingestow,* td. xii–xv.

[41] Davies, *Dict. Duplex,* "Ego existimo esse nomen proprium
viri."

VII. ARMES ARALL

Yn B.T. 13 rhoir y teitl *Arymes prydein vawr* i'r ddarogan, ac yn ll. 194 hefyd ceir *Arymes yr ynys hon.* Yn B.T. 27, mewn cyfres o linellau pumsill, digwydd "o *erymes* fferyll," fel petai *erymes* i'w yngan yn *ermes* ; yn B.T. 31,

> Tri dillyn diachor droch drymluawc,
> Teir llyghes yn aches *arymes* kyn brawt.

y mae deg sill yn y llinell gyntaf a'r ail hefyd, os ynganer fel *armes.* Felly mewn llinellau wythsillaf yn *Ll. Hendregadredd*, td. 146, gan Gynddelw :—

> *Armes* gwr gwythlawn y ober.

Yng *Ngwaith Dafydd ap Gwilym* Dr. Parry, td. 231, fel enw ar ei gariad dwyllodrus :—

> Enwog y'th wnair, gair gyrddbwyll,
> *Armes*, telynores twyll.

Daw yn enwog fel *Armes*, neu *ddarogan* celwydd ; pawb yn gwybod amdani, heb neb yn ei chredu, gw. *Bulletin* i. 35–6, am chwaneg ar y gair a'r ystyr.[42]

Nid *Prydain Fawr* a feddylir wrth y ddau air nesaf o'r teitl : cyfeiria *fawr* at hyd yr Armes, nid at faint Prydain. Yn gyffelyb, rhoir *Gwawt lud y mawr*, fel teitl yn B.T. 74. Ar yr ymyl gyferbyn â dechrau cân arall, ceir [*Y*]*marwar llud mawr.* O flaen cân fechan td. 78, rhoir *Ymarwar llud bychā*, sef *bychan.* Wedyn, td. 79, *Kanu y byt mawr*, ac un llai, td. 80, *Kanu y byt bychā.*

Disgwylid, gan hynny, gael cân fechan i ateb i'r Armes, a chredaf fod un i'w chael, B.T. 70, 16—71, 6. Nid oes deitl iddi, na lle i un, ond rhoir pedair llinell gyntaf yr Armes, i gychwyn, a darogan arall i ddilyn :—

---

[42] Yn B.T. 10 o flaen cân hir i ddisgrifio sut beth fydd Dydd y Farn, chwanegodd rhywun yn y bwlch a adawsid yn ll. 4, i roi'r teitl—ond ni wnaethpwyd—*yrymes det brawt* : enghraifft dda o'r gair lle mae'r ystyr yn ddigamsyniol, "rhagfynegiad o'r dyfodol," ei drallod, ei fraw, a'i lawenydd.

1 Dygogan awen dygobryssyn.
  Maranhed ameuued a hed genhyn.
  A phennaeth ehalaeth affraeth vnbyn.
  A gwedy dyhed anhed ym pop mehyn.
5 Seith meib o veli dyrchafyssyn.
  kaswallawn allud achestudyn.
  diwed plo coll iago o tir prydyn.
  Gwlat uerw dyderuyd hyt valaon.
  lludedic eu hoelyon ymdeithic eu hafwyn.
10 Gwlat wehyn vargotyon.
  kollawt kymry oll eu haelder.
  ynrygystlyned o pennaeth weisson.
  Rydybyd llyminawc
  auyd gwr chwannawc
15   y werescyn mon
  arewinyaw gwyned.
  oe heithaf oe pherued
  oe dechreu oe diwed.
    A chymryt y gwystlon.
20 Ystic y wyneb
  nyt estwg y neb
    na chymry na saesson.
  Dydaw gwr o gwd
  Awna kyfamrud.
25   Achat ygynhon.
  Arall adyfyd
  pellenawc y luyd
    llewenyd y vrython.

Sylwer fod pedair llinell yr Armes yn arwain i dair llinell
gyda'r un brifodl, sef -yn, ac felly, yn ôl yr hen reol,
yn ffurfio *awdl*. Yna mae'r gweddill i gyd yn cynnal yr
un brifodl, sef -on, ac yn ffurfio awdl arall. Rhaid diwyg-
io'r mesur yn 9, gan nad oes odl i *hafwyn*. Gellid cynnig
kaffon yn ei le (gw. B.T. 57, 4), i gael mesur a synnwyr ;
ac yn 11–12 gymryd fod *haelder* a *rygystlyned* yn ffurfio
odl gyrch, gan fod -*er* ac -*ed*(*d*) yn odl Wyddelig a ganiateid
yn yr hen gyfnod. Mae'r mesur yn hawdd ei ddilyn
o 13 hyd 28. Cywirer *o gwd* yn 23 i *o gud* (sef *o gudd*).

Yn y darn olaf hwn, darogenir y daw *Llyminawg*, gŵr
chwannog, i oresgyn Môn, a distrywio Gwynedd o'i chwr :
digllawn yw ei wyneb, ac nid ymostwng i neb, Cymry na
Saeson. Daw gŵr o gudd a frwydra yn erbyn y gynnon
(gw. Armes, 131, 176, 183, gair cyffredinol am y Saeson
a'r Daniaid). Daw un arall hefyd, a llu o bell ganddo,
fydd yn destun llawenydd i Frython. Wrth ddarllen hyn
rhed y meddwl ar unwaith at Ruffudd ap Cynan yn y
Gogledd a Rhys ap Tewdwr yn y De, y ddau yn alltudion
o'u gwlad tua'r un adeg, ond a lwyddodd trwy eu dygnwch
i ennill eu treftadaeth yn ôl. Tybiai awdur Hanes
Gruffudd ap Cynan,[43] fod cyfeiriad at Ruffudd mewn
darogan o waith Myrddin, "Ef ae daroganws Merdin ef
ynni val hynn," a rhydd ei ddarogan :—

> *Llyminawc* lletfer a daroganer
> Anaeth diarvor dygosel
> llegrur y enw llycrawt llawer.[44]

Yna dyry gyfieithiad Lladin, "Saltus ferinus prae-
sagitur / uenturus de mari insidiaturus / cuius nomen
corruptor quod multos corrumpet." Nid yw *saltus
ferinus* (os dilys y darlleniad) yn gyfieithiad manwl, eto
dengys y modd y deellid *llyminawc* gan Gymro o'r ddeu-
ddegfed ganrif, sef fel tarddair o *llam*.[45] Gyda'r ansodd-
air golyga arwr sy'n neidio ar ei elyn, fel bwystfil gwyllt
ar ei ysglyfaeth, llamwr gwyllt, ffyrnig, teigr o ddyn !
Daw "oddiar fôr," fel y daeth Gruffudd ; llygrwr yw ei
enw, a llygra lawer. Anodd peidio â chymharu'r ddar-
ogan arall, am y gŵr awyddus i oresgyn Môn (fel
Gruffudd), ac o'r herwydd *rhewiniaw* (neu *ddifetha*)
Gwynedd, o'i hymyl eithaf i'w chanol, o'i dechrau i'w

---

[43] Arthur Jones, *The History of Gruffudd ap Cynan*, td. 110.

[44] Sylwer ar yr odl Wyddelig *-el*, *-er*, a'r gynghanedd amrwd.

[45] Gw. y glos *lemenic* ar *salax*, Loth, V.V.B. 172 : rhydd ei
gyfystyr Gwyddeleg, *léimnech*. Ceir ef am Urien, B.T. 42, 8 ;
ac mewn hŷn orgraff, *lleminawc*, 55, 5 ; cf. *llegrwr* am *llygrwr* ;
Merddin am *Myrddin*.

diwedd.   Ac yn sicr, yn ystod cyrchoedd cyntaf Gruffudd,
ac yn wir am gryn ysbaid wedyn, difethwyd a diffeithiwyd
Gwynedd yn greulon.

Efallai mai digwyddiad yw fod y daroganau a'r hanes
yn ateb cystal : efallai fod hynny yn profi ddarfod canu'r
naill a'r llall ohonynt yn chwarter olaf yr unfed ganrif ar
ddeg ; efallai mai darnau o'r un ddarogan ydynt ; ond,
boed hynny fel y bo, dangosir gan *Hanes Gruffudd ap
Cynan* y gred gadarn mewn daroganau a goleddid hyd yn
oed gan ddysgedigion eglwysig Cymru yn yr oes honno.
Mewn Lladin, cofier, yr ysgrifennwyd y traethawd
cofiannol diddorol hwn, a gadwyd i ni mewn cyfieithiad
Cymraeg diweddarach.

VIII.   ORMESTA BRITANNIAE

Ym Muchedd Sant Paul o Leon yn Llydaw, o waith
Wrmonoc (884), cyfeirir yn y drydedd bennod at Ddewi
Sant, Samson, a Gildas : am lyfr yr olaf, "a alwant
Ormesta Britanniae," dywedir iddo ysgrifennu "de ipsius
insulae situ atque miseriis."   Gan hynny yr oedd y llyfr
hwnnw am "safle a thrallodion" yr ynys, sy'n hysbys i ni
dan yr enw *De Excidio Britanniae* neu "Am Ddistryw
Prydain," yn hysbys yn Llydaw yn y nawfed ganrif dan
enw arall a barodd gryn drafferth i'w ddehongli.

Tynnodd Cuissard sylw at deitl cyffelyb ar lyfr Orosius,
hanesydd o'r bumed ganrif, mewn llawysgrif o Fleury ar
oror Llydaw, *Orosii presbyteri in Ormesta mundi* ; a chyf-
eiria at y teitl llawnach mewn llawysgrif arall, *Incipit
capitulationis in librum Historiarum Orosii sanctissimi viri*
de Miseria hominum.   Cawn felly *Ormesta Mundi* fel
petai'n gyfystyr â "de *Miseria* hominum."

Ar hyn sylwa Gaidoz fod *Ormesta*, ffurf ar *Wormesta*,
meddai, yn Llydaweg, yr un gair â *Gormes* yn Gym-
raeg, a bod y terfyniad *-ta* wedi ei chwanegu ato i'w

Ladineiddio.[46]   Tebygrwydd y pwnc a barodd, yn ei dyb
ef, i'r clerigwyr Llydewig roi teitl llyfr Gildas hefyd i waith
Orosius. Derbynia Dr. Hugh Williams hyn yn ei drafod-
aeth ar *Vita Gildae*,[47] gwaith mynach o fynachlog Ruys
yn Llydaw. Dywed hwnnw, mewn brawddeg sy'n atgoffa'r
De Miseria uchod, "Inter cetera vero, quae ipse sanctus
Gildas scripsit de *miseriis* et praevaricationibus et *excidio
Britanniae*, hoc etiam de illa praemisit."[48]   Dyma
gyplysu'n bendant y *de miseriis* a'r *de excidio Britanniae*.
Ond nid yw "gormes" i mi yn gyfieithiad da o *miseria* ;
gwell yw "trueni" a "gofidiau" neu "drallodion" (yn y
lluosog) :   *gormes* o'r ochr arall yw "trais, gorthrech,
oppression." Tybed nad yw *armes*, mewn ail ystyr, yn
ateb yn well i *ormesta* ?   Onid proffwydo tywydd mawr a
gofidiau—a hinon a hawddfyd rywdro yn y dyfodol—y
byddai'r daroganwr fel rheol ?   Dyna ddisgwylid ganddo,
dyna oedd amcan pob brut a darogan ac armes, sef codi
calon y gofidus mewn cyfnod o drallod cenedlaethol.
Yr oedd y gofid presennol yn wir   Wrth roi rhagfynegiad
o'r cyni hwnnw, a oedd yn anwadadwy, yng ngenau rhyw
Fyrddin neu Daliesin o'r oes o'r blaen, enillid cred (efallai)
i'r genadwri obeithiol oedd yn ei sgil.   Gwyddid trwy
brofiad chwerw ei fod yn iawn am y rhan drist o'i broff-
wydoliaeth, a helpai hynny'r rhai oedd yn y gofid i gredu
ei fod yn iawn hefyd yn ei efengyl.   Ond disgrifiad o'r
gofid oedd corff y gainc. Fel disgrifiad o ofidiau'r Brython,
gellid galw llyfr Gildas gyda chryn briodolder yn *Armes*.
Fel hanes *Pict* a *Scot* a *Sais* yn ymosod ar Brydain, ac yn
meddiannu y rhan helaethaf ohoni, nid armes na gormes a
weddai orau arno, ond *Gormesoedd*. Gwnâi armes y tro, fodd
bynnag, am ragfynegiad o'r gofidiau cyn Dydd y Farn.

[46] *Revue Celtique*, v. 413, 458–60.

[47] Williams, *Gildas*, Part II, td. 319.

[48] Ibid., td. 324, 325, "Indeed amongst other matters which
St. Gildas himself has written about the *miseries* and transgressions
and *ruin of Britain*, etc.", cyfieithiad H.W.

Ym marddoniaeth y Llyfr Coch o Hergest ceir darogan
a elwir Cyfoesi Myrddin a Gwenddydd ei chwaer :[49]
Gwenddydd yn ei holi mewn englyn a Myrddin yn ateb,
bob yn ail—cyfres hir. Mewn un englyn gofyn hi iddo,
Pwy wledych wedi Merfyn ? Dyma ei ateb yntau :—

> Dywedwyf nyt odrycawr.
> *ormes brydein* pryderawr.
> wedy Meruyn Rodri Mawr.[50]

Yn nes ymlaen, sonnir am *Gruffudd* yn gwledychu ar dir
Prydain, a gofynnir pwy piau wedi Gruffudd. Etyb
yntau :—

> Dywedwyf nyt odrycker
> *ormes prydein* pryderer.
> Gwedy Gruffud Gwyn Gwarther.[51]

Mewn copi arall, hŷn o gan mlynedd na'r Llyfr Coch,
amrywia'r orgraff ychydig :—

> Dywedwyf nyt o dryker.
> *armes prydein* pryderer.[52]

Dyma gyfeirio at *Armes Prydein*, neu *Ormes Prydein*, fel
rhywbeth sydd i'w ddwys ystyried, neu i'w astudio'n
ofalus.[53] Annhebyg iawn yw mai at waith Gildas y
cyfeirir. Mae mwy i'w ddweud dros dybio mai at
ddarogan 930. Efallai mai Hanes Prydain a olyga, cf.
Ormesta uchod, am lyfr hanes gan Orosius. Efallai mai'r
corff o ddaroganau am Brydain oedd ar led, ar lyfr ac ar
lafar.

Yn y ddadl â Llywelyn ab Y Moel gofynnodd Rhys
Goch Eryri pa le y cafwyd yr awen ; yn ei ateb dywed
Llywelyn iddo ef gael ei awen trwy'r Ysbryd Glân : fod

[49] R.B.P. 1–4.
[50] Ibid., 2 a 42—3 b 2.
[51] Ibid., 3 a 4–6.
[52] B.B.C.S. iv. 114, o Peniarth 3 (tua 1300).
[53] Gw. P.K.M. td. 158, am rai o hen ystyron *pryderu*.

yr Ysbryd fel tarddell yr awen wedi ei roi i ddechrau ar
y Sulgwyn cyntaf :—

> Ac yn *armes Taliesin*,
> Drud yn llys Faelgwn fu'r drin,
> Pan ollyngawdd, medrawdd mwy,
> Elffin o eurin aerwy.[54]

Cywira Rhys ef ar y pwynt cyntaf, a'i ganmol am yr ail ;
daeth yr awen o nef,

> *Taliesin*, hydr ar fydr fu,
> *Gobaith proffwyd*, a'i gwybu.[55]

Yn ei gywydd i Lys Gwilym ap Gruffudd o'r Penrhyn,
dychwel Rhys eto at y pwnc :—

> Y mae *armes Taliesin*
> A'i fawl penceirddiaidd o'i fin
> Yn cymwyll, heb hirdwyll hawl,
> Taer yw, y tŷ yreiawl.

Ni wn beth yw ei sail dros ddweud fod *armes Taliesin* yn
cymwyll (neu enwi) y tŷ hwnnw ; gall gyfeirio at un o'r
llu o ddaroganau a chwedlau o bob oed a dadogid ar
Daliesin yn y cyfarwyddyd a elwid *Hanes Taliesin*.
Hwyrach mai *Armes Taliesin* oedd ei hen enw, pan bwysid
ar y daroganau oedd ynddo : ac i hynny droi yn *Hanes
Taliesin* pan gai'r stori'r lle pennaf. Sut bynnag, dyma
enghraifft o *Armes* fel cyfystyr â *Hanes*.

IX. Y TESTUN

Dilynais destun Llyfr Taliesin, heb newid dim arno
bron. Er mwyn hwylustod y darllenydd, fodd bynnag,
rhois y geiriau ar wahân lle cydiai'r ysgrifennydd hwy yn
groes i'n harfer ni, megis *ahed* genhyn. *Aphennaeth* ehel-
aeth *affraeth* vnbyn. Anwybyddais y ffurfiau gwahanol
am *w* ac *r*, ac *s*. Rhois hefyd brif lythrennau yn enwau
lleoedd a phersonau. Beth bynnag a chwanegwyd at y

---

[54] *Iolo Goch ac Eraill*, td. 168, 171.
[55] Ibid., td. 175.

testun gennyf, fe'i nodir â chromfachau petryal (gw. ll. 35, 37, 60). Yn ll. 106, newidiais *allan* i all[myn] i gael odl.

Yn y rhagymadrodd trwodd yn lle defnyddio orgraff y teitl, sef *Arymes*, bernais mai doeth oedd dilyn ffurf sy'n digwydd yn y Gogynfeirdd a Dafydd ap Gwilym, *Armes*, canys tybiwn nad oedd modd i'r -*y*- yn *arymes* fod yn llafariad llawn, na bod y gair yn drisill. Petasai'r gair yn drisill, buasai'r acen a'r pwyslais ar yr ail sill, gyda'r canlyniad y cedwid y sillaf honno yn anad yr un, ac *arýmes* a glywid byth. O ddechrau gydag *armes* gellir deall pam y daeth *arymes* yn amrywiad : mewn cyfuniad fel -*rm* clywir rhyw gymaint o sŵn llafarog wrth lithro o'r *r* i'r *m*, ac yn yr orgraff weithiau rhoddid *e* neu *y* amdano, er enghraifft, ysgrifennid *garym* am *garm* "bloedd, llef," a *gwrym* am *gwrm* "du, dulas, brown." Ni chyfrifid y geiriau hyn yn ddeusill ond unsill ; nid oedd yr *y* eto wedi magu nerth llafariad llawn. Yn P.K.M. 88, cymerer *garymleis* "sgrech" ; nid trisill yw eithr deusill, o *garm* a *llais* (cyfansawdd o gyfystyron, fel *torf-lu*). Yn yr un ysgol orgraffyddol ysgrifennid *armes* fel *arymes*.

Yn Llyfr Taliesin ysgrifennwyd y testun nid yn llinellau mydryddol ond fel rhyddiaith. Argraffwyd ef yma yn llinellau. Dull y copïwr o nodi diwedd llinell o fydr oedd rhoi pwynt (atalnod llawn) ar ôl y gair olaf ynddi, yr odl : cedwais y rheol honno. Yn yr hen oes gelwid cân â'r un brifodl drwyddi yn awdl ; ar ddechrau awdl o'r fath dyry yntau brif lythyren fawr. Yn yr Armes mae naw o'r cyfryw awdlau ; anghofiodd ei rhoi yn y bedwaredd, y bumed, a'r chweched—dim ond prif lythyren bach fel y rhai a rydd weithiau ar ddechrau llinell. Yn y nawfed gadawodd fwlch, a *d* bach yn ei ganol, iddo ef neu arall roi D addurnedig yn ei lle, ond ni wnaethpwyd hynny. Mae ei ail awdl, fodd bynnag, yn gymysgfa o dair, fel y cafwyd hi yn y llawysgrif.

Hynodrwydd yr odlau yw fod cynifer ohonynt yn odlau Gwyddelig, sef y llafariad neu'r ddeusain yn gyffelyb i'w gilydd, a'r gytsain olaf yn amrywio (gw. *Canu Aneirin*, td. lxxv). Odlir *-er*, *-ed(d)* ; *-yl*, *-yr*, *-yd(d)* ; *-yg* (=*yng*), *-yrn*. Efallai mai proest sydd yn 29, ac odl gyrch yn 151–2, *-eir*, *-ein*.

I ddychwelyd at yr ail awdl. O 17 hyd 23 yr odl yw *-yn*, fel yn 1–16. Yna daw

> Ny dyffei a talei yg keithiwet.
> Mab Meir mawr a eir pryt na thardet.
> rac pennaeth Saesson ac eu hoffed.

O 26 hyd 44 *-ed(d)*, *-er* yw'r odl, ag eithrio'r proest yn 29, *dayar*. I gael gwared o'r afreol, awgrymaf ddarllen *tharder* yn lle *thardet* : wrth roi *-er* yn lle *-et* ceir odl Wyddelig berffaith i gydio'r llinell wrth y llinellau sy'n dilyn. Hefyd mae *Mab Meir* yn awr yn ddechrau awdl newydd, fel yn 45 :—

> Mab Meir mawr a eir pryt nas terdyn.

Medrir cydio felly 1–23, a'u hystyried yn un awdl. Heblaw hynny, wrth ddarllen *pryt na tharder* a deall y ferf fel yn y ddarogan sydd yn nechrau y *Llyfr Du o Gaerfyrddin* (B.B.C. 2. 5, Moch *guelher*) fel presennol amhersonol (=*terddir*) bydd yr ystyr yn loyw a chlir.

Erys y llinell, *Ny dyffei a talei yg kaethiwet*, yn hollol ar ei phen ei hun, heb gydio o ran mesur yn ôl nac ymlaen. Cynigiaf, gan hynny, mai esboniad oedd ar ymyl y gwreiddiol a gopïwyd yn B.T. i egluro ll. 22, "yg ketoed Kymry *nat oed a telhyn*," ac wedi ei chynnwys yn amryfys yn y testun. Amwysedd y gair *talu* a fu'n achlysur i'r glos. Os derbynnir hyn, bydd yr awdl gyntaf yn cynnwys 1–23, a'r ail 25–44, a'r ll. 24 yn diflannu. Ei hystyr yw, na fyddai neb yn barod i dalu'r dreth newydd *o orfod*. Nid hyn yw'r unig enghraifft yn B.T. o roi glos fel rhan o'r testun !

Mesur arferol yr Armes yw Cyhydedd Naw Bann ; dyna
sydd yn 92 o linellau, yn gymysg â llinellau degsill, 66
ohonynt ; rhennir y sillafau yn y naill yn 5 : 4, ac yn y
llall 6 : 4.   Wedyn daw 23 o ddegau 5 : 5, ac 8 o 6 : 5.
Cyfrif hyn am 189 o'r llinellau.   Am y deg eraill gellid yn
ddiau eu twtio a'u trwsio i'r hydau hyn.   Gwelir mor hoff
yw'r bardd o gael pedair sillaf yn ail ran y llinell o'r
orffwysfa ymlaen.   Addurnir y llinellau â chyffyrddiadau
cynganeddol ac odl fewnol ; yn aml bydd diwedd y rhan
gyntaf yn odli â'r ail sillaf o'r ail ran, weithiau bydd y
ddau air odledig yn y rhan gyntaf.

BYRFODDAU

A.C.L.	. .	*Archiv f. Celtische Lexicographie.*
A.L. .	. .	Owen, *Ancient Laws and Institutes of Wales,* 1841.
A.C. .	. .	*Annales Cambriae,* Phillimore, *Cym.,* ix, 152.
B. neu B.B.C.S.	.	*The Bulletin of the Board of Celtic Studies.*
B.B.C.	. .	Evans, *The Black Book of Carmarthen,* 1906.
Br. Cl.	. .	Parry, *Brut y Brenhinedd,* Cotton Cleopatra version, 1937.
Br. Ding.	. .	H. Lewis, *Brut Dingestow,* 1942.
B.T. .	. .	Evans, *The Book of Taliesin,* 1910.
C.A. .	. .	I. Williams, *Canu Aneirin,* 1938.
C.Ch.	. .	R. Williams, *Campeu Charlymaen,* 1878.
C.I.L.	. .	Meyer, *Contributions to Irish Lexicography,* 1906.
C.Ll.H.	. .	I. Williams, *Canu Llywarch Hen,* 1935.
Cy. neu Cymm.	.	*Y Cymmrodor.*
Ch.Br.	. .	Loth, *Chrestomathie Bretonne,* 1890.
Ch.O.	. .	I. Williams, *Chwedlau Odo,* 1926.
D. .	. .	Davies, *Dictionarium Duplex,* 1632.
D.B. .	. .	Lewis-Diverres, *Delw y Byd,* 1928.
D.G.G.	. .	Williams-Roberts, *Cywyddau Dafydd ap Gwilym a'i Gyfoeswyr,* 1914.
D.W.S.	. .	Salesbury, *A Dictionary in Englyshe and Welshe,* 1547 (1877[2]).
Etym.	. .	W. M. Lindsay, Isidori . . . *Etymologiarum Sive Originum Libri,* 1911.
F.A.B.	. .	Skene, *The Four Ancient Books of Wales,* 1868.
G. .	. .	Lloyd-Jones, *Geirfa Barddoniaeth Gynnar Gymraeg,* 1931–.
G.B.C.	. .	Rhys Jones, *Gorchestion Beirdd Cymru,* 1773.
G.C. .	. .	Zeuss-Ebel, *Grammatica Celtica,*[2] 1871.
G.G. .	. .	*Gwaith Guto'r Glyn,* 1939.
Gildas	. .	Hugh Williams, *Gildae, De Excidio Britanniae,* 1899, 1901.
G.M.Br.	. .	Ernault, *Glossaire Moyen-Breton,*[2] 1895.

G.M.L.	. .	T. Lewis, *A Glossary of Mediaeval Welsh Law*, 1913.
Gwyn.	. .	I. Williams, *Gwyneddon* 3, 1931.
H. neu Ll.H.	.	*Llawysgrif Hendregadredd*, 1933.
H.B. .	. .	Mommsen, *Historia Brittonum*, M.G.H., 1894.
H.C. .	. .	Carnhuanawc, *Hanes Cymru*, 1842.
H.E. .	. .	Plummer, *Baeda Opera Historica*, 1896.
H.G.C.	. .	A. Jones, *The History of Gruffydd ap Cynan*, 1910.
H.G.Cr.	. .	H. Lewis, *Hen Gerddi Crefyddol*, 1931.
Holder	. .	*Alt-Celtischer Sprachschatz*, 1896.
H.MSS.	. .	R. Williams, *The Hengwrt MSS.*, 1876, 1892.
H.W.	. .	Lloyd, *A History of Wales*, 1911.
I.G.E.	. .	*Cywyddau Iolo Goch ac Eraill*, 1925, 1937.
L.L. .	. .	Evans-Rhys, *The Text of the Book of Llan Dâv*, 1893.
Lewis-Pedersen	.	*A Concise Comparative Celtic Grammar*, 1937.
LL.A.	. .	Morris-Jones—Rhys, *The Elucidarium*, 1894.
Ll.Ll.C.	. .	H. Lewis, *Llawlyfr Llydaweg Canol*, 1935.
LL.O.	. .	*Orgraff yr Iaith Gymraeg*, 1928.
M.A. .	. .	*The Myvyrian Archaiology of Wales*,[2] 1870.
M.H.B.	. .	Petrie-Sharp, *Monumenta Historica Britannica*, 1848.
Ped. .	. .	Pedersen, V. G.
Owen-Pemb.	.	*Owen's Pembrokeshire*, 1892, 1897.
P.K.M.	. .	I. Williams, *Pedeir Keinc y Mabinogi*, 1930, 1951.
R.	. .	T. Richards, *Welsh and English Dictionary*,[2] 1815.
R.B.B.	. .	Rhys-Evans, *The Text of the Bruts from the Red Book of Hergest*, 1890.
R.C. .	. .	*Revue Celtique*.
R.M. .	. .	Rhys-Evans, *The Text of the Mabinogion from the Red Book of Hergest*, 1887.
R.P.	. .	Evans, *The Poetry in the Red Book of Hergest*, 1911.
R.W.M.	. .	Evans, *Report on Welsh MSS*.
San-Marte	.	San-Marte, *Die Sagen von Merlin*, 1853.

ARYMES PRYDEIN VAWR

1 Dygogan awen dygobryssyn.
  maraned a meued a hed genhyn.
  A phennaeth ehelaeth a ffraeth vnbyn.
  A gwedy dyhed anhed ym pop mehyn.
5 Gwyr gwychyr yn trydar kasnar degyn.
  escut yg gofut ryhyt diffyn.
  Gwaethyl gwyr hyt Gaer Weir gwasgarawt allmyn.
  gwnahawnt goruoled gwedy gwehyn.
  A chymot Kymry a gwyr Dulyn.
10 Gwydyl Iwerdon Mon a Phrydyn.
  Cornyw a Chludwys eu kynnwys genhyn.
  Atporyon uyd Brython pan dyorfyn.
  Pell dygoganher amser dybydyn.
  Teyrned a bonhed eu gorescyn.
15 Gwyr Gogled yg kynted yn eu kylchyn.
  ymperued eu racwed y discynnyn.

  Dysgogan Myrdin kyueruyd hyn.
  yn Aber Perydon meiryon mechteyrn.
  A chyny bei vn reith lleith a gwynyn.
20 o vn ewyllis bryt yd ymwrthuynnyn.
  Meiryon eu tretheu dychynnullyn.
  yg ketoed Kymry nat oed a telhyn.
  yssyd wr dylyedawc a lefeir hyn.
  ny dyffei a talei yg keithiwet.
25 Mab Meir mawr a eir pryt na thardet.
  rac pennaeth Saesson ac eu hoffed.
  Pell bwynt kychmyn y Wrtheyrn Gwyned.
  ef gyrhawt allmyn y alltuded.
  nys arhaedwy neb nys dioes dayar.

1

30 ny wydynt py treiglynt ym pop aber.
    pan prynassant Danet trwy fflet called.
    gan Hors a Hegys oed yng eu ryssed.
    eu kynnyd bu y wrthym yn anuonhed.
    gwedy rin dilein keith y mynuer.
35 dechymyd meddaw[t] mawr wirawt o ved.
    dechymyd aghen agheu llawer.
    dec[h]ymyd anaeleu dagreu gwraged
    dychyfroy etgyllaeth pennaeth lletfer.
    dechymyd tristit byt a ryher.
40 Pan uyd kechmyn Danet an teyrned.
    Gwrthottit trindawt dyrnawt a bwyller.
    y dilein gwlat Vrython a Saesson yn anhed.
    poet kynt eu reges yn alltuded.
    no mynet Kymry yn diffroed.

45 Mab Meir mawr a eir pryt nas terdyn.
    Kymry rac goeir breyr ac vnbyn.
    kyneircheit kyneilweit vn reith cwynnyn.
    vn gor vn gyghor vn eissor ynt.
    nyt oed yr mawred nas lleferynt.
50 namyn yr hebcor goeir nas kymodynt.
    y Dduw a Dewi yd ymorchymynynt.
    talet gwrthodet flet y allmyn.
    gwnaent wy aneireu eisseu trefdyn.
    Kymry a Saesson kyferuydyn
55 y am lan ymtreulaw ac ymwrthryn.
    o diruawr vydinawr pan ymprofyn.
    Ac am allt lafnawr a gawr a gryn.
    Ac am Gwy geir kyfyrgeir y am peurllyn.
    A lluman adaw agarw disgyn.
60 A mal [bwyt] balaon Saesson syrthyn.
    Kymry kynyrcheit kyfun dullyn.

blaen wrth von granwynyon kyfyng oedyn.
meiryon yg werth eu geu yn eu creinhyn.
Eu bydin ygwaetlin yn eu kylchyn.
65 Ereill ar eu traet trwy goet kilhyn.
Trwy uwrch y dinas ffoxas ffohyn.
ryfel heb dychwel y tir Prydyn.
Attor trwy law gyghor mal mor llithryn.

Meiryon Kaer Geri difri cwynant.
70 rei y dyffryn a bryn nys dirwadant.
y Aber Perydon ny mat doethant.
anaeleu tretheu dychynullant.
naw vgein canhwr y discynnant.
mawr watwar namyn petwar nyt atcorant.
75 dyhed y eu gwraged a dywedant.
eu crysseu yn llawn creu a orolchant.
Kymry kyneircheit eneit dichwant.
gwyr deheu eu tretheu a amygant.
llym llifeit llafnawr llwyr y lladant.
80 ny byd y vedyc mwyn or a wnaant.
bydinoed Katwaladyr kadyr y deuant.
rydrychafwynt Kymry kat a wnant.
lleith anoleith rydygyrchassant.
yg gorffen eu tretheu agheu a wdant.
85 ereill arosceill ryplanhassant.
oes oesseu eu tretheu nys escorant.

Yg koet ymaes [ym bro] ym bryn.
canhwyll yn tywyll a gerd genhyn.
Kynan yn racwan ym pop discyn.
90 Saesson rac Brython gwae a genyn.
Katwaladyr yn baladyr gan y unbyn.
trwy synhwyr yn llwyr yn eu dichlyn.

Pan syrthwynt eu clas dros eu herchwyn.
yg custud a chreu rud ar rud allmyn.
95 yg gorffen pop agreith anreith degyn.
Seis ar hynt hyt Gaer Wynt kynt pwy kynt techyn.
gwyn eu byt wy Gymry pan adrodynt.
ryn gwarawt y trindawt or trallawt gynt.
na chrynet Dyfet na Glywyssyg
100 nys gwnaho molawt meiryon mechteyrn.
na chynhoryon Saesson keffyn ebryn.
nys gwnaho medut meddawt genhyn.
heb talet o dynget meint a geffyn.
O ymdifeit veibon ac ereill ryn.
105 trwy eiryawl Dewi a seint Prydeyn.
hyt ffrwt Ailego ffohawr all[myn]

Dysgogan awen dydaw y dyd.
pan dyffo Iwys y vn gwssyl.
Vn cor vn gyghor a Lloegyr lloscit.
110 yr gobeith anneiraw ar yn prydaw luyd.
A cherd ar alluro a ffo beunyd.
ny wyr kud ymda cwd a cwd vyd.
Dychyrchwynt gyfarth mal arth o vynyd.
y talu gwynyeith gwaet eu hennyd.
115 Atvi peleitral dyfal dillyd.
nyt arbettwy car corff y gilyd.
Atui pen gaflaw heb emennyd.
Atui gwraged gwedw a meirch gweilyd.
Atui obein vthyr rac ruthyr ketwyr.
120 A lliaws llaw amhar kyn gwascar lluyd.
Kennadeu agheu dychyferwyd.
pan safhwynt galaned wrth eu hennyd.
Ef dialawr y treth ar gwerth beunyd
ar mynych gennadeu ar geu luyd.

125 Dygorfu Kymry trwy kyfergyr.
    yn gyweir gyteir gytson gytffyd.

Dygorfu Kymry y peri kat.
a llwyth lliaws gwlat a gynnullant.
A lluman glan Dewi a drychafant.
130 y tywyssaw Gwydyl trwy lieingant.
A gynhon Dulyn genhyn y safant.
pan dyffont yr gat nyt ymwadant.
gofynnant yr Saesson py geissyssant.
pwy meint eu dylyet or wlat a dalyant.
135 cw mae eu herw pan seilyassant.
cw mae eu kenedloed py vro pan doethant.
yr amser Gwrtheyrn genhyn y sathrant.
ny cheffir o wir rantir an karant.
Neu vreint an seint pyr y saghyssant.
140 neu reitheu Dewi pyr y torrassant.
ymgetwynt Gymry pan ymwelant.
nyt ahont allmyn or nen y safant.
hyt pan talhont seithweith gwerth digonsant.
Ac agheu diheu yg werth eu cam.
145 ef talhawr o anawr Garmawn garant.
y pedeir blyned ar petwar cant.

Gwyr gwychyr gwallt hiryon ergyr dofyd.
o dihol Saesson o Iwerdon dybyd.
Dybi o Lego lyghes rewyd.
150 rewinyawt y gat rwyccawt lluyd.
Dybi o Alclut gwyr drut diweir
y dihol o Prydein virein luyd.
Dybi o Lydaw prydaw gyweithyd.
ketwyr y ar katueirch ny pheirch eu hennyd.

155 Saesson o pop parth y gwarth ae deubyd.
ry treghis eu hoes nys dioes eluyd.
dyderpi agheu yr du gyweithyd.
clefyt a dyllid ac angweryt.
Gwedy eur ac aryant a chan*h*wynyd.
160 boet perth eu disserth ygwerth eu drycffyd.
boet mor boet agor eu kussulwyr
boet creu boet agheu eu kyweithyd.
Kynan a Chatwaladyr kadyr yn lluyd.
Etmyccawr hyt vrawt ffawt ae deubyd.
165 Deu vnben degyn dwys eu kussyl.
deu orsegyn Saesson o pleit Dofyd.
deu hael deu gedawl gwlat warthegyd.
deu diarchar barawt vnffawt vn ffyd.
deu erchwynawc Prydein mirein luyd.
170 deu arth nys gwna gwarth kyfarth beunyd.

Dysgogan derwydon meint a deruyd.
o Vynaw hyt Lydaw yn eu llaw yt vyd.
o Dyuet hyt Danet wy bieiuyd.
o Wawl hyt Weryt hyt eu hebyr.
175 Llettawt eu pennaeth tros yr echwyd.
Attor ar gynhon Saesson ny byd.
Atchwelwynt Wydyl ar eu hennyd.
rydrychafwynt Gymry kadyr gyweithyd.
bydinoed am gwrwf a thwrwf milwyr.
180 A theyrned Dews rygedwys eu ffyd.
Iwis y pop llyghes tres a deruyd.
A chymot Kynan gan y gilyd.
ny alwawr gynhon yn gynifwyr
namyn kechmyn Katwaladyr ae gyfnewitwyr.
185 Eil Kymro llawen llafar a uyd.
Am ynys gymwyeit heit a deruyd.

pan safhwynt galaned wrth eu hennyd.
hyt yn Aber Santwic swynedic vyd.
Allmyn ar gychwyn y alltudyd.
190 ol wrth ol attor ar eu hennyd.
Saesson wrth agor ar vor peunyd.
Kymry gwenerawl hyt vrawt goruyd.
Na cheisswynt lyfrawr nac agawr brydyd.
Arymes yr ynys hon namyn hyn ny byd.
195 Iolwn i ri a grewys nef ac eluyd.
poet tywyssawc Dewi yr kynifwyr.
yn yr yg Gelli Kaer am Duw yssyd.
ny threinc ny dieinc nyt ardispyd.
ny wyw ny wellyc ny phlyc ny chryd.

NODIADAU

1 **dygogan,** proffwyda, rhagddywed. Mewn inc llwytach
rhoddwyd *s* uwchben *-yg-*, cf. isod 17, 107, 171, *dysgogan,*
ond yn B.T. 70, 16–9, lle ceir pedair ll. cyntaf yr *Armes* ar
ddechrau darogan arall, *dygogan* yw'r ffurf. Yn B.T. 74, 26 ;
77, 18, *dysgogan:* 75, 5, *dyscogan:* B.B.C. 49, 3, *discogan[a]we:*
51, 9, *disgogan:* 53, 4 ; 54, 7, *disgoganafe:* 55, 8, *discoganaue:*
58, 10, *disgoganaue:* 62, 15, *dysgoganawe.* Cywesgir y ddau
ragddodiad *dy-wo-* trwy *dy-o-* i *do-,* e.e. *dodrefn, dosbarth, dolef:*
rhydd *di-wo-,* fodd bynnag, *dio-,* e.e. *diogel, dioddef.* Mewn
Hen Gymraeg, cf. y glosau yn Ox. 1, *diguolouichetic:* Hen
Lydaweg, *doguolouit, doguorenniam, douohinnom, douolouse*
(C.C.V. a Lux.) ; yn *Eut.* ceir *doguohintiliat, doguomisuram:*
Ox. 2, *dowomisurami.* Pa bâr sydd yn *dygogan* ? Tueddaf at
dy-wo-. Yn orgraff y ddegfed ganrif ysgrifennid y naill a'r
llall fel *di-guo-* (gan fod *i* ar arfer am *y* ac am *i*), a pharai hynny
drafferth i gopïwyr diweddarach. Sylwer ar y rhestr yn C.A.
406, o eiriau yn *dy-go-, dywo-, dyo-*; ni cheir un yn *di-go-,
diwo-,* cf. isod *dy-go-bryssyn:* 13, *dygoganher:* a *dy-gor-* yn
125, 127, *dygorfu* (cf. Ox. 1, *diguormechis*).

Mewn Llydaweg Canol dyry Ernault, G.M.Br. 173, *dioueret*
(=diofryd), *diouguel* (=diogel), a *diougan* "addo, bygwth,
darogan, proffwydo." Etyb yr olaf i'r gair yn y testun, ond
ni phrawf mai *di-* yw'r elfen gyntaf ynddo, o angenrheidrwydd.

Am y ffurf gydag -*s*-, gellir dadlau mai'r rhagenw mewnol
yw, gw. C.A. 129, ar *ermygei,* ac *erysmygei:* neu ynteu mai'r
rhagddodiad -*ex*-, cf. *taw, distaw.* Yr olaf yw'r tebycaf.
Ar y cytrasau Gwyddeleg, gw. Pedersen, V.G. ii. 479–81 :
nid oes yr un yn cynnwys -*ex*-. Gan hynny, efallai mai
ffurfiant newydd ar ddelw geiriau fel *distaw,* yw *disgogan:*
newid y rhagddodiaid i osgoi amwysedd, rhoi *dis-* sy'n cryfhau,
i gymryd lle *dy-o,* rhag cymysgu â *di-ogan* "heb ogan," cf. y
modd y newidiwyd *gollewin, goddiwes* yn *gorllewin, gorddiwes.*

Sylwer nad yw'r *g* gyntaf yn *dygogan* namyn hen orgraff
fel yn y glosau uchod. Y sain oedd *dy-o-gan,* gair trisill, fel
y dengys y mesur : nid oedd cywasgiad wedi digwydd eto.

dygobryssyn. Hen orgraff eto am *dy-o-frysynt,* cyfansawdd o *brysio,* gydag *-ynt* terf. pres. myn. 3. llu. fel yn y glosau *limnint* (ar y Lladin *tondent*) ; *scamnhegint* (ar y Ll. *levant*), ac nid *-ynt* Cymraeg Canol (= *-ent* Cymraeg Diweddar), terf. amherff. 3. llu. Cymharer B.T. 66, 24, *dybrys.* Cyfeirir yn y testun at y gwaredwyr, Cadwaladr a Chynan, sy'n dyfod ar frys i helpu'r Cymry.

2   **maraned,** cyfoeth, trysorau, gw. P.K.M. 130, holl *uaranned* y llys ; B.T. 70, 17, *maranhed.*

meued, eiddo, gw. C.A. 349, *meuwed:* B.T. 70, 17, *meuued.*

genhyn. Yn ôl W.G. 406, 3ydd. llu. yr arddodiad *gan,* cyfystyr â "ganddynt." Gwrthodir hynny gan Lloyd-Jones, G. 103, a chymer ef fel 1af. llu.="gennym," cf. C.A. 18, Guir gormant aethant *cennin:* 28, O winveith a medweith yd aethant *e genhyn:* B.B.C. 83, 3, oet reid duu *genhin:* R.P. 34 a 35, seuit duw *gennhynn:* Ll.H. 279 (Lloegr lu) ny chawsan *genhyn* kymod kymeint hynn ; B.T. 5, 26, seint . . . a gweinis *y gennhyn:* B.B.C. 49, 6, Or saul y deuant nyd ant *y kenhin* namuin seith lledwac ; Llan. 2, 338, y bwryawd y korff ehetua *y gennyn:* B.T. 77, 24, lloegyr oll ymellun eu meuoed *genhyn:* isod, 11, 88, 102, 131, a gynhon Dulyn *genhyn* y safant. Amrywia'r ystyr beth yn ôl ystyron *gan* ac *y gan: genhyn=* gyda ni ; *y gennyn=*oddi wrthym ni, er bod tuedd i roi *y* i mewn yn ddiystyr weithiau (cf. *ar,* ac *y ar*). Nid oes betruster am y rhif a'r person : cyntaf lluosog yw bob tro.

Ceir ffurfiau cyffelyb o'r arddodiaid 1af. llu.megis *amdanann, attann, arnann, ohonan, rhagon,* gw. W.G. 399 ; R.P. 38b, 39a ; M.A. 222a, b ; cf. hefyd y ferf *iben* (=yfem) yn y Juvencus.

Dealler y llinell, gan hynny, nid am y gwaredwyr, ond amdanom *ni'r* Cymry. Darogenir eu bod hwy ar ddyfod, ac y bydd i ninnau gyfoeth a heddwch, ac felly ymlaen, llinellau 3 a 4.

3   **pennaeth,** heddiw am bendefig neu arglwydd, ond gynt am arglwyddiaeth hefyd. Nid yw'r ystyr yn ddiamwys yn 38 isod, ond "arglwyddiaeth" yw yn 175, cf. hefyd B.T. 54, 17, py (ry ?) ledas y *pennaeth* dros traeth mundi ; 29, 4, dedeuant etwaeth . . . *pedeir* prif *pennaeth* (enw benywaidd, megis yn R.P. 2 b 10, *y bennaeth* yn llaw howel) ; H. 96, hyd aeron yt aeth/ y *bennaeth* o bennmon ; M.A. 181b, Ny symmut y

bennaeth. Yn B.B.C. 54, *penaetheu* bychein anudonauc, cyf-
ystyr yw'r lluosog â'n "penaethiaid" ni : felly R.B.B. 272,
vchtrut vab etwin, a howel uab Goronw, a llawer o *bennaetheu*
ereill gyt ac wynt. Cf. Gw. *cend* "head," *cendacht* "headship,
supremacy," enw benywaidd, C.I.L. 341.

Yn y testun gydag *ehelaeth,* er y gall olygu "generous chief"
(C.A. 102), gwell dewis yr ystyr arall. Nid disgwyl yr oeddid
am un teyrn mawr, ond helaethiad ar derfynau Cymru ac ar
awdurdod y Cymry, gw. isod 171–5.

ffraeth, parod, gw. C.A. 88. Yma cyfeirir at barodrwydd
yr *unbyn* (llu. *unben,* gw. 91) i roi, nid i lefaru.

4   **dyhed,** cyffro, aflonyddwch, rhyfel.   **anhed,** trigfan,
preswylfod : yma cf. ystyr ddwbl S. *settlement.* Isod, 42,
Saesson yn anhed, h.y. wedi ymsefydlu a "setlo i lawr" yng
ngwlad y Cymry. Yn H.G.C. 142 mudassant argluydi powys
. . . ac eu *hanhedeu* ganthunt hyt ar gruffud : 152, gossot y
anheddeu ae vileinllu ar gwragedd ar meibeon yn drysswch
mynyddedd Yryri (cf. B.T. 75, 4, diffeith moni a lleenni.
ac eryri *anhed* yndi) ; prin y cludid tai, hyd yn oed dai coed,
o le i le.   Mae'r cytras Llydaweg *annez* wedi magu'r ystyr o
ddodrefn, celfi ; *anneza,* "dodrefnu ; *annezer,* gwerthwr
dodrefn," ac felly gall yr anheddau ' mudadwy hyn olygu
dodrefn, celfi o bob math, cf. P.K.M. 56, na thy nac *anhed :*
H. 44 (Llangadfan) ny chollir oe thir nac oe thewdor *annhet* /
troetued yr *dyhet* dihawt hepcor ; M.A. 477b (aethant i'r)
diffeithwch yn lle yd oeddynt y *anhedeu* yn eu haros ; = R.B.B.
45, yn y lle ydoed yr *anreitheu* ar gwraged ar meibon, = Brut
Ding. 7, yr *anhedeu* a'r gwraged a'r meybyon.

Gellir diystyru'r *a* ar ddechrau'r llinell, er mwyn mesur.
Neu ynteu darllener *hed* yn lle *anhed* (cf. R.P. 5 b 7, ympop
hed gwled a gyuyt), cyferbyniad gwell i *dyhed.*

mehyn, lle (bachigyn o *ma*), cf. B.T. 11, 4 ; 21, 4 ; 43, 1 ;
61, 15 ; 76, 1 ; R.W.M. i. 395, kat ymob *mehyn:* cf. Gw.
magen, maigen (Windisch, W. 676 ; A.C.L. ii. 418 *maighin,
maigen,* mewn priod-ddull fel *yn y fan, yn y lle:* Dinneen,
maighean "a place, ground"). Mewn hen Eirfa (Cy. ix. 332)
ceir *Meyn* "lle" ; 333, *"Mehyn a men yw lle."*

5   **gwychyr,** ffyrnig, dewr, C.A. 132, gair deusill.

trydar, sŵn, yna "brwydr," C.A. 146.

kasnar. Gair na wyddys ei ystyr. (Nid *casnar* "hen wr" mewn Oscan, neu Ladin cynnar !). Digwydd fel enw dyn, P.K.M. 27, *Cassnar Wledic* (gw. nodyn, td. 162), a chyfeirir ato droeon gan y Gogynfeirdd ac yn R.M. I foli arwr, hoffai'r beirdd lusgo i mewn enwau gwŷr enwog hanes a chwedl, e.e. H. 112, Cynddelw yn disgrifio'r Arglwydd Rhys, fel brythwch *Teyrnon*, greddf *Unhwch*, angerdd *Fatholwch*, a phair hyn ansicrwydd parthed ystyr llinell fel hon yn yr un awdl, "Na dala uar *casnar* cas hetwch." Ai'r enw personol sydd yma ai enw cyffredin ? Yn M.A. 161a, ar ddiwedd marwnad Cadwallawn, "As deupo *casnar* kar kyngreinyon . . . *Cadell* Brython . . . yg kein adef nef nawt eggylyon," y meddwl amlwg yw "Deued nawdd angylion i Gadwallawn yn y nef, *gŵr oedd fel Casnar* ac *fel Cadell*," h.y. defnyddid *casnar* fel cyfystyr â rhyfelwr enwog, cf. y modd yr aeth *Eigr* neu *Luned* yn enw cyffredin am unrhyw ferch deg. Gellir deall M.A. 283b yn gyffelyb : y dechreu oed *wychuryd casnar* / y diwet boed y daw trugar : h.y. ar ddechrau ei oes gŵr gwych ei fryd fel Casnar oedd (gŵr balch rhyfelgar) ond boed iddo ddiwedd gwahanol (trugar i Dduw). Ymddengys fel petai Casnar yn ddihareb am ei hoffter o ryfel, cf. uchod, H. 112, casnar *cas hetwch*. Beth yw yn C.A. 53, Kynvelyn *gasnar* / ysgwn bryffwn bar ? Yn C.Ll.H. 3 ceir englyn amherffaith ym Marwnad Gwên, â'r gair hwn ynddo. Pe gellid darllen

Dy leas ys mawr [gawdd]
Casnar nid câr a'th laddawdd

ceid synnwyr purion a chyferbyniad rhwng *câr* a *chasnar* (gelyn creulon ?). Os derbynnir y darlleniad yna, ni welaf ddim yn erbyn cymryd *Casnar* fel enw dyn a *chasnar* fel enw cyffredin yn gyfystyron, mwy o ansoddair nag o enw, ond bod modd ei arfer fel enw, cf. *Taliesin, Talhaearn, Gwynn, Penwyn*. Golyga hyn wrthod esboniadau'r Hen Eirfâu arno (Cy. viii, 202, *kasnar* "brwydyr" ; ix. 332, *casnar* "cat" ; felly B. i. 324, yn ogystal ag "arglwydd" mewn dwy eirfa : *casnor* "llid" mewn dwy), a hefyd ystyron Loth, R.C. xlii. 79 "combat, mêlée, carnage, trouble" ; G. 115, "llid, gofid, poen." Dibynna'r rhain ar y darlleniad "dy leas *ys mawr casnar*," sy'n gadael llinell olaf yr englyn yn rhy fyr o ddeusill. Ni wn am enghraifft arall sy'n gofyn am ystyr haniaethol.

Yn y testun ans. cyfans. yw *kasnar degyn* i ddisgrifio'r gwŷr
gwychyr mewn brwydr. Ni raid i'r gair cyntaf fod yn ansodd-
air yn y cyfryw, cf. ll. 95, *anreith degyn:* neu'n well fyth
R.P. 5a, rieu *ryuel degynn* "arglwyddi dengyn mewn rhyfel."
Ceir enghraifft awgrymiadol yn C.Ll.H. 34, Cyndylan, *Gulhwch
gynnifiat:* yma ceir enw personol fel elfen gyntaf, cynifiad
(rhyfelwr) *fel Culhwch* oedd Cynddylan. Aeth yr enw pers.
bron yn ansoddair. Gall hynny fod yn *kasnar degyn* hefyd ;
rhyfelwyr yw'r rhain *megis Casnar, tebyg i Gasnar,* a oedd yn
enwog am ei ffyrnigrwydd didrugaredd. Nid oes ond cam i
wneud *casnar* yn ansoddair hollol "ffyrnig," neu "lidiog.
milain," gyda G. 115. A oedd yr enw pers. yn golygu hynny
ar y cychwyn, sydd bwnc arall : ni chytunir ar ystyr *cas-*
mewn enw fel *Cas*wallawn, nac ar *nar* (C.A. 182). Ond
cytuna'r cyfeiriadau oll i wneud milwr cyndyn ffyrnig o Gasnar
Wledig. Ei liw ef sydd ar yr enw byth, cf. y defnydd o *Nero,*
neu *Judas.*

   degyn, dengyn, "cadarn," gw. C.A. 91, ac isod ar 95.
6 **esgut,** cyflym, C.A. 376, 146 (ar 280).
   gofut. Yma "brwydr," fel rheol "poen." Ceir *gofud* a
gofid yn yr hen lawysgrifau, gw. P.K.M. 157, C.Ll.H. 74.
   ryhyt, cf. M.A. 183a, Caru guyt yn *ryhyt* yn ruy ; 245b,
Kuluyd an goreu ni ac an gueryt / Argleitryat vab rat *ryhyt*
/ O garchar bu ef a gyrchuys y arvedyt (R.P. 23a, *o garchar
ryhyt. o garchar*) ; R.P. 22a 13, Rygellynt gallem agcredu,
yg kryt byt *ryhyt* ryuedu. Ymddengys fel pe golygai "hir
iawn" : yn yr enghraifft gyntaf, caru gwyd (pechod) yn *rhy-hir*
a rhy fawr ; yn yr ail, gweryd Crist ei bobl o *hir* garchar.
Cf. am rym cyffelyb i *rhy-* (nid "too, ' ond "very") yn *rhy-hwyr,
rhŵyr* "very late, high time" ar lafar gwlad. Yn y testun,
molir y gwŷr hyn am eu bod yn am-*ddiffyn* eu safle yn hwy na
hir, "men very stubborn in defence." Cyferbynnir eu
cyflymder wrth ymosod â'u harafwch wrth encil.
7 **gwaethyl gwyr,** hen orgraff am *gwaethlwyr* "ymladdwyr,
rhyfelwyr" ; ar *gwaethl* gw. J. Ll.-J. yn B. iv. 221 ; G. 270,
ar *kywaethyl.*
   hyt, cyn belled â (cf. Gw. *go sioth* "to, as far as"), cf isod 106.
   Caer Weir, cf. B.T. 69, 12, Ergrynawr Cunedaf . . . yg *kaer
weir* a chaer liwelyd. Cynigiais mai Durham ar yr Afon *Wear*
ydoedd, *Beirniad* vi. 208 ; B. xi. 82.

gwasgarawt, dyfodol 3. un. Lewis-Pedersen, 279. Gellid
darll. *gwasgarawnt,* a chymryd fel goddrych y gwŷr a ddisgrifir
yn 5, 6, a *gwaethlwyr* y ll. hon.

allmyn, estroniaid, yma y Saeson. Daw o *all* "other," fel
yn *allfro* (cf. 111), *alltud,* ar-*all,* a *myn,* llu. *mon* "dyn," cf.
porthmon, porthmyn: hwsmon, hwsmyn. Yn ddiweddarach,
affeithiwyd ef yn rheolaidd i *ellmyn.* Galwai'r Saeson y
Cymry yn *Welsh* "foreigners" : telir y pwyth iddynt yma trwy
eu galw hwythau yr un peth, mewn enw hanner Cymraeg a
hanner Saesneg. Daw'r ail elfen eto (a mwy o ddirmyg) yn
kechmyn ll. 40, 184, *kychmyn* ll. 27.

8 **gwnahawnt,** gwnânt, 3ydd. llu. amser dyfodol *gwneuthur.*

gwehyn, gw. B. i. 113, gair am dynnu dwfr, ei dywallt allan,
disbyddu, ac am anadlu allan : cyfieithir ganddo'r Ll. *haurio.*
Arferir am ddifrod llwyr, noethi gwlad o bopeth, cf. C.A. 287,
B.T. 70, 23 ; 76, 2, a gofut am *wehyn:* B.B.C. 53, 5. Yn y
testun addewir gorfoledd ar ôl cyfnod yr ocheneidio, neu
gyfnod yr anrheithio.

9 **gwyr Dulyn,** sef gwŷr Norwy a oedd wedi ymsefydlu yno :
hwy yw *gynhon Dulyn* yn ll. 131.

10 **Gwydyl Iwerdon,** preswylwyr gweddill Iwerddon, gw. 130.

Mon. Awgrym fod Gwyddyl ym Môn yr adeg hon, neu
ynteu arfer Môn am Ynys Fanaw. O blaid y cyntaf y mae
cyfeiriad cwta yn *Annales Cambriae* dan 902, Igmunt *in insula
mon* uenit. et tenuit maes osmeliavn, gw. Lloyd, H. W. 330,
"In 902 the Celtic element won a temporary triumph over the
Scandinavian in Ireland ; Dublin was cleared of its heathen
folk and very many of them, under the leadership of one
Ingimund, made their way to Anglesey, intending, no doubt,
to found a new settlement in the island. They were stoutly
resisted by the inhabitants and forced to look elsewhere for a
foothold, which they ultimately found, if an Irish account is
to be trusted, in the neighbourhood of Chester" ; gw. hefyd ei
nodyn ar waelod yr un tudalen. Sylwer ar B.T. 67, 14, Ton
iwerdon, a thon *vanaw* a thon *ogled.* A thon *prydein* toruoed
uirein yn petwared ; yma ceir *Manaw,* nid Môn, ac at Ynys
Fanaw y cyfeirir yn ddiau. Hefyd gw. H.G.C. 104 lle'r
honnir fod taid Gruffudd ap Cynan yn frenin ar Ddulyn, ac
enys vanaw . . . a mon a gwyned: gw. nodyn ar td. 159.

Perthyn hyn i gyfnod diweddarach na'r *Armes*, ond mae'r cyfeiriad yn werth dal arno. Nid oes gymysgu Môn a Manaw ynddo. Yn R.B.B. 261 dywedir "Ac y diffeithwyt Iwerdon a *mon* y gan bobyl *dulyn*" ; am y blynyddoedd rhwng 910 a 920 y sonnir yn yr adran hon, gw. A.C. am fanylion. Dengys hyn fod angen y cymodi, ll. 9.

Prydyn. Enw Gwyddeleg Pictiaid yr Alban ydoedd *Cruthni*: un oedd *Cruthen*, a *Cruthne* oedd enw eu gwlad. Etyb enw'r bobl i *Pryden* yn Gymraeg, ffurf a geir yn C.A. 30, gwydyl a *phryden* (odli ag -*en*(*n*): mewn copi arall o'r un ll. td. 19, rhoddwyd *a phrydein* er gwaetha'r odl). Cyferbynner ag *enys brydein* (odli ag -*ein*) td. 7, enw a ddaw o *Britannia*. Cymysgwyd *Pryden* a *Brydain* drosodd a throsodd yn y testunau, ac yn yr ynganiad. Rhy debyg i unigol oedd *Pryden* am y bobl, a thrwy gydweddiad ag enwau fel *Llaen, Lleyn*: *myharen, myheryn*, lluniwyd lluosog newydd *Prydyn* fel yma. At yr Alban y cyfeirir, a'r Gwyddyl a ymsefydlasai yno. Isod, ll. 67, *tir Prydyn*, yn sicr Ynys *Brydain* sydd i'w ddeall, neu'r rhan ddeheuol ohoni : ll. 105, seint *prydeyn* (odli ag -*yn*) saint yr ynys a feddylir, er i'r bardd ganu *Prydyn*. Yn 152, 169, ceir *Prydein* ddwywaith (odli â *mirein*) am yr ynys.

11 **Cornyw,** gŵyr Cernyw.

Cludwys, gŵyr Ystrad Glud, "Strathclyde," De'r Alban. Isod, 151, enwir eu prif ddinas, *Alclud*, neu *Allclud*, sef Dumbarton.

eu kynnwys, gw. trafodaeth Lewis, B. iv. 179–89, yn arbennig 185–9, ar gystrawen berfenw. Gall hyn olygu "cânt eu cynnwys, fe'u cynhwysir." Am *cynnwys* "derbyn yn groesawgar," gw. G. 259, C.A. 162, C.Ll.H. 101 ; B.T. 67, Creawdyr celi an *kynnwys* ni yn trugared : gyda *gan*, B.T. 68, Hael archaedon *gan* egylyon *cynwyssetor:* 54, y nef kaereu *kynnwys genhyt*. Mae iddo'r syniad o wneud lle i un, megis W.M. 86a, ac y *graessawawd* hi Peredur yn llawen ae *gynnwys* ar y naillaw. Yng Ngwynedd dywedir "*Cynnwys!*" wrth fuwch yn y beudy i beri iddi symud peth a gwneud lle i'r neb a fo am ei godro, h.y. "Make room !" cf. A.L. i. 172, y nawfed dyn yn dyfod i ofyn tir, a'i hawl iddo wedi "diffodd," rhydd y gyfraith *gynnwys* iddo ar delerau neilltuol.

genhyn, fel yn 2 uchod.

12 **atporyon,** llu. *attpaur* yn B.B.C. 35. Mewn dychan i Siôn
Cent sonnir am *atborion clêr* (I.G.E. 185) ; R.P. 54 b 12 (ar ôl
colli ei noddwr) neut atwed kerdawr . . . neut atueil bueil
. . . neut *atboryon* Mon ; 17 b 33 (mewn darogan), Gorffit
vrythyon (=*Brython*) yn *atporyon* arantyrron gywethyd
(cf. Pen. 53 (98) Gwedy bwrw yn *atbyriawn* / Garw gynt gorvot
a gawn, Daf. Llwyd ap Ll. ap Gr.) ; G.B.C. 96 (dychan i'r
llwynog) Llyfaist *adborion* droppion drippa. Rhywbeth fel
"gwehilion" yw'r ystyr, cyfeiriad at gyflwr y Brython wedi eu
nychu gan ryfel a gormes, a'u goreugwyr wedi eu difa : felly
Silvan, "leavings, refuse, remnant, scraps" ; G. 46,
"gweddillion, gwehilion, sorod, adfeilion."

Brython, lluosog yw yma, fel y dengys y ferf.

dyorfyn, o *dy-* a ffurf ar *gorfod* "gorchfygu, ennill," cf. 125,
dygorfu. O *bod* ceir pres. 3ydd. llu. *ynt:* o *gorfod* ceid *gorynt*
(gw. B.T. 73, 1, mewn darogan arall) ; ceid hefyd *bint, bynt,*
pres. arferiadol neu ddyfodol (gw. H. 63 ; a W.G. 346–8, G. 64),
a chyda *gor-* cawsid *gorfynt.* Ar absen *-t*, cf. 1, 13, 16, 17, etc.

13 **pell.** Fe'i ceir am amser yn ogystal ag am le, cf. 27 ; B.T.
43, 26 ; 76, 3, *pell amser* kyn no dydbrawt y daw diwarnawt ;
C.Ll.H. 106.

dygoganher. Ar *dy-go-* mewn hen orgraff gw. ar 1. Noda'r
terfyniad *-her* yr amhersonol i'r pres. dib., a ddefnyddir yn
aml mewn ystyr ddyfodol (W.G. 324, 339), cf. B.B.C. 2, 6 ;
5, 5, 6 ; 6, 1 ; C.Ll.H. 26 (Da y dirieit ny *atter*=ni *edir:*
cf. W.M. 228 b, ny *atter* y mywn) ; B. iii. 256, 8, hit ni ri
tarnher: 10, hit ni ri *tarner.*

amser, cf. B.T. 42, 19, Ac *amser pan* wna mor mawr wrhydri.
Cymerer gyda *dygoganher.*

dybydyn, pres. arfer. neu ddyfodol *dyfod*, cf. C.A. 116, ef
dybydei.

14 **teyrned,** trisill, "brenhinoedd" ; cf. B.T. 45, 26, *tegyrned,*
lle cedwir org. Hen Gymraeg.

abonhed. Yn Llyfr Taliesin a barddoniaeth y Llyfr Coch
o Hergest, ni fedraf weld un enghraifft o *bonhedd* yn golygu
"boneddigion" ; yr ystyr a ddyry G. 70 yw "ach, tarddiad
neu dras aruchel," yn yr holl hen ganu. Rhaid darllen felly
un ai *a* yn ystyr *o* (brenhinoedd *o* fonedd), a throi *bonhed* yn

vonhed, neu newid *abonhed* i *ānvonhed* "anfonedd" (ansoddair a geir yn ll. 33 isod am y Saeson), cf. 40, *pan uyd kechmyn danet an teyrned;* neu ynteu rhaid cydio *bonhed* wrth *eu gorescyn.* Credaf mai'r olaf yw'r gorau, gan na olyga newid llythyren o'r testun. Cymerer *teyrned* fel traethiad *dybydyn.* Darogenir ers tro am amser y daw teyrnedd (sef Cynan a Chadwaladr), ac am fonedd eu goresgyn.

bonhed. Yn ôl D, "nobilitas, ortus, origo"; W.M.L. 81, *Bonhed* gwenyn o paradwys pan yw. ac o achaws pechawt dyn y doethant odyno. Yr ystyr gyntaf yw tarddiad, dechreuad, cf. Gw. *bunad* "origin, stock, root"; *bunadas* "origin, source," C.I.L. 291.

gorescyn. Ni thâl yr ystyr gyffredin "gorchfygu" yma, felly cymerer ystyr Dyfed yn ôl D. sef *possessio, possidere,* cf. W.M.L. 53, Tri *chamwerescyn* yssyd : gwerescyn yn erbyn y perchennawc oe anuod a heb vrawt. Neu werescyn trwy y perchennawc ac yn erbyn y etiued . . . Neu werescyn trwy wercheitwat ac yn erbyn y iawn dylyedawc oe anuod a heb varn : A.L. i. 138, 139 n. *gorescin* "a term used for taking possession of land to which a person is entitled." (Nid oes angen ail gymal yr esboniad, cf. R. "In South Wales it signifieth, To enter on an estate, to take possession.") Perthyn yr *Armes* i'r Deheubarth, a dylid dilyn arfer y De wrth drafod yr iaith. Ystyr *bonhed eu gorescyn* yn y cysylltiadau yw dechreuad neu sail hawl y teyrnedd i gymryd meddiant o'r wlad neu'r ynys hon, cf. B.T. 76, 6, Y prydein yna y daw datwyrein, *brython o vonhed rufein.* Dyma gyweirnod *brut,* sef olrhain y Brython yn ôl i *Brutus.*

15 **Gwyr Gogled.** Gelwir gwŷr Rheged, Ystrad Glud, y Gododdin, gwŷr gogledd Lloegr a dehau'r Alban, yn wŷr y Gogledd, gw. eu hachau, sef Bonedd Gwŷr y Gogledd, Wade-Evans, *Arch. Camb.* 1930, 339, neu R.P. 18 a 1–3, lle'r enwir Urien Rheged, ac y sonnir am dri theyrn ar ddeg *o'r gogledd.*

yg kynted, yn y rhan anrhyđeddusaf o'r neuadd, gw. P.K.M. 131.

yn eu kylchyn, cf. 64, o'u cwmpas, gw. G. 230. Y syniad yw y bydd gwŷr y gogledd fel cynghreiriaid yn llysoedd Cynan a Chadwaladr, ac mewn bri mawr yno.

16 **perued,** canol, P.K.M. 15, a phan uo ef ar *perued* y digrifwch ;
B.T. 25, ef lladei a *pherued* ac eithaf a diwed (sef gwahanol
rannau byddin y gelyn).

racwed. Mae grym *rac-* yn amlwg, ond amwys yw *-wedd.*
Weithiau fe'i defnyddir fel pe i wneuthur enw haniaethol,
cf. *blaenwedd* "brig" (G. 57 ; R.B.B. 41, or diwed y deuai ar
vlaenwed goruchelder anryded) ; *olwedd* (B. vii. 373, y gwlyb-
yreu ereill pan eu dineuer . . . wynt a adawant ryw *olwed* yn
y llestr, h.y. ni lifant ymaith yn lân, ond gadael "rhyw beth
ar ôl"). Felly gall rhagwedd olygu "blaenoriaeth," neu'r
cyffelyb, rhagorbarch, anrhydedd, "special honour." Yn
B.T. 58, 19 (*racwed* rothit y veird y byt) addas fuasai "rhagor-
barch, rhagorfraint, honour." Yn C.A. 41 (Porthloed vedin
. . . a *llu racwed* en ragyrwed en dyd gwned yg kyvrysed),
cyfeirir at osgordd Mynyddawg fel porthladd neu noddfa i
fyddin, ac mewn brwydr yn *llu racwed*, yn ymladd ar y blaen.
y safle anrhydeddus. Cân y bardd yn R.P. 33 a 21, i ddechrau
i Dduw, ac yna ei ail gân i Dysilio (a ganwyf y'm rwyf *o'm
racwed*), o'i barch mawr iddo ? Am Dduw y sonnir yn B.T.
4, 10, pell pwyll rac *rihyd racwed:* ystyr rhihydd yw gogoniant
brenhinol, "majesty," a chryfheir hynny gan *racwed.* Yn y
testun dibynna'r ystyr ar y modd y deallir *discynnyn.*

discynnyn. Mewn hengerdd ceir yr ystyr gyffredin i *disgyn*
a hefyd ystyron fel ymosod, cyrchu (gw. G. 371 am enghreifft-
iau o bob un). Isod, 73, dyfod i'r frwydr yw'r meddwl ; 89,
Cynan sy'n *racwan* (ymosod ar y blaen) ym mhob *disgyn*
"cyrch." Gan fod *racwed* hefyd yn air a arferir am lu, cynigiaf
y gellir deall hynny yma : bydd Gwŷr y Gogledd yn cerdded
i'r frwydr ar flaen llu Cymru ochr yn ochr â milwyr dethol y
genedl, yn y safle uchaf ei hanrhydedd.

17 **dysgogan,** gw. ar 1.

Myrdin. Priodolir darogan arbennig i Fyrddin sy'n trafod
yr amgylchiadau hyn. Pa Fyrddin, Myrddin Emrys ai
Myrddin Wyllt ? O blaid y cyntaf gw. 18, y cyfeiriad at Afon
Peryddon : yn ei broffwydoliaeth ger bron Gwrtheyrn enwa
Myrddin Emrys Afon Peryddon, gw. *Ding. Brut.* 107 : Er hen
gvynn . . . a drossa auon Perydon . . . Cadwaladyr a eilv Kynan.
a'r Alban a dwc yn y gedymdeithas. Ena y byd aerua o'r
estrawn genedloed. Ymddengys fel petai Sieffre yn cyfeirio

at yr *Armes*, neu'n defnyddio darogan a gynhwysai sylw go debyg.

kyferuyd hyn. Yn y llsgr. *kyferueyd* gyda phwynt dileu o dan yr ail *e*. Darll. *kyferuydhyn*, dyfodol 3. pers. llu. *cyfarfod*, gw. G. 202, ac isod 54, *kyueruydyn*. Daw'r goddrych *meiryon* yn y ll. nesaf.

18   **Aber Perydon,** cf. 71. Amlwg yw fod yr afon hon yn rhywle ar oror Cymru ar lwybr y *meiryon* a ddeuai o Gaer Geri, *Cirencester*. Amhosibl yw'r cais i wneud Peryddon yn enw ar Ddyfrdwy, gw. Panton 37, R. ii. 844, lle cyfeirir at Fangor (Is Coed), "a oedd yn fynachloc ar lan afon Beryddon," a'r abad yn anfon myneich at "Ethelfridus" ; yna'r lladdfa "ar lan afon Beryddon rhwng tref Gaer a lle heddyw a elwir yr Holt yn y lle . . . i peris Abad Bangor i bawb oi lu ostwng ar eu gliniau . . . a gweddio ar y Tad . . . a chymmeryd llymmaid o ddwr Peryddon . . . ac o hynny allan yr henwid yr afon Dyfrdwy." Yna rhoir nodyn J. J. Gellilyfdy, "Etto i mae Ptolemaeus yn ei galw hi Dyfrdeu yn y flwyddyn 140. A hefyd y mae enw arall ar yr afon yma . . . sef *Aerfen*."

meiryon, llu. *maer* "steward" ; cf. *merion* gl. yn Juv. ar *actores*, llu. *actor* "agent, overseer," "perhaps so called as collector of revenues," Andrews. Ceir gl. Llydaweg hefyd, sef *meir* (*actores* templi), lluosog arall i *maer*, Whitley Stokes, *The Breton Glosses at Orleans*, rhif. 79 ; ac yn Ox. 2, *mair* "maer," gl. ar *praepositus*. Am y ffurf cf. *bardd, beirdd, beirddion: saer, seiron* (B.T. 1, 30).

mechteyrn, brenin mawr, yma brenin Lloegr, gw. B. x. 39–40 am drafodaeth ar yr enw. Yn B.T. 41, 4 ; 54, 14, gelwir Duw yn fechteyrn.

Yma ac isod ll. 100, odlir *-yrn* ac *-yn* (o *-ynt, -ynn*), cf. hefyd odl fewnol ll. 27. Yn ôl arfer y Cynfeirdd a'r Gwyddyl gallai *r* odli ag *n:* felly nid yw'r odl hon namyn odli *-yrn* ac *-ynn*, cf. yr odlau yn englyn enwog C.C.C. MS. 199, Caergrawnt, yn llaw Ieuan ap Sulien, Esgob Tyddewi (1071–89), sef *trylenn, treisguenn, Cyrrguenn, Patern*. Yn B.T. 41, 4, hefyd odlir *bryn*(n) a *mechteyrn*.

19   **cyny bei,** cyn ni bai, er na bai.

vn reith, cf. 47, kyneircheit kyneilweit *vn reith* cwynnyn. Gyda rhaith yn 140 isod (*reitheu Dewi*), cf. Gw. *recht* "cyfraith,

deddf," Llyd. *reiz:* S. *right* a'r Ll. *rego, rectus.* Mae datblyg-
iadau ystyr y gwreiddyn yn lluosog yn y gwahanol ieithoedd :
ceir y syniad o iawn, union, "straight," a'r un o ymestyn
"stretch," ac wrth gwrs yr hyn sy'n foesol neu gyfreithiol
iawn. Hefyd daw'r ystyron o reol a threfn, rheoli ac arwain,
defod a dull, cf. ystyron gwahanol y S. *rule,* a *ruler, erect* a
direct, ac *order.* Yn B.T. 9, 9, ymhlith yr addfwynau (pethau
hardd a hyfryd) rhoir *"reith* a pherpheith neithawr" : yn y
Cyfreithiau *rhaith* y gelwir nifer o ddynion a ânt ar eu llw fod y
cyhuddedig yn ddieuog (Lewis, G.M.L. 259, "compurgation,
body of compurgators") ; *rheithiwr* ydoedd un o'r nifer.
I'r Dr. D. 1632, "iusiurandum, iuramentum," sef *llw* oedd
rhaith : rhaid bellach wrth y cyfansawdd *cyf-raith* i ddynodi
"law" yn Gymraeg.

Yn 47 isod, dywedir fod uchel ac isel-radd yn cwyno yn
un rhaith. Rhaid mai "yn yr un dull," a feddylir, pawb yn
dweud yr un peth, fel rhaith mewn llys barn. Gellid deall
y testun yn gyffelyb, mai cwyno sydd yma hefyd, a'r un gŵyn
gan bawb, sef angau, er na bai yr un dull o drengi. Gellid
deall yr holl linell hefyd fel sangiad, melltith y daroganwr
ar y meirion.

lleith. Nid yr ans. "gwlyb," ond yr enw "marwolaeth,"
fel yn 83 isod.

20 **ewyllis,** gw. P.K.M. 199, am amryfal derfyniadau'r gair
hwn, sef *-is, -us, -ys, -wys.*

bryt, meddwl. Hir yw'r ll. a gellid gadael *bryt* allan : neu
ynteu dileer *yd* fel yn 51 isod, gan fod modd cymharu *ewyllys
bryd* ag *ewyllys calon* mewn priod-ddull gynefin.

ymwrthuynnyn. Ystyr *gwrthfyn* yw "derbyn," megis yn
H. 1. 6, pan dyuo douyt yn dyt pennawd / peryf par *wrthuynn*
yn erbyn brawd ; A.L. i. 630, Nawd dryssawr . . . yw canheb-
rwg dyn . . . at y portawr canys ef ae *gwrthuyn:* R.P. 40 b 22,
erchi ym ri . . . *gwrthvyn* vy eneit pan el om knawt ; 41 b 38,
Pedyr wynn an *gwrthuynn:* 155 a 3, M.A. 190, Oedd iawnach i
fynach fod / Im *gwrthfyn* nag im gwrthod ; 194 a 39. Yna,
derbyn mewn brwydr, ymladd yn erbyn, M.A. 212 a 6, gyrth
yn *gwrthuynnassant:* R.P. 34 a 25, ym plymneit *ymwrthuyn*
(cf. Y.C.M.[2] 222, *ymerbynnyeit* "gwrthsefyll, gwrthwynebu,"
a'r berfenw tebyg yn R.P. 38 a 37, *gwrthuynnyeit*). Prun yw

yma ? Anodd dweud gan fod iaith darogan yn fwriadol
dywyll, cf. ll. 2, ac ymlaen, lle mae'n rhaid dyfalu at bwy y
cyfeirir.

Yn ôl 71, Aber Peryddon, gellid tybio, yw eithaf taith y
meirion : bydd brwydr yno, a gyrrir hwy'n ôl mewn gwarth
gyda cholledion dirfawr. Bydd iddynt achos cwyno rhag
angau (19). Yna daw 20, o un fryd "ymdderbyniant." Prin
y golyga hyn eu bod yn croesawu ei gilydd yn dra gwresog
a chytûn. Gwell cymryd y gair fel "rhoi brwydr," cf. *lladd*,
ac *ymladd*. Pe newidid y drefn, a darllen 20 o flaen 19, ceid
gwell rhediad meddwl. Deuant yno, ymladdant, cwynant
rhag angau. Meirion ydynt (wrth eu swydd), a cheisiant
gyflawni eu swydd, sef hel trethau, yn erbyn gwrthwynebiad
ffyrnig y Cymry. Dyna pam y rhoir y goddrych gyntaf yn
21, yna y gwrthrych, a'r ferf yn olaf.

22   **ketoed,** llu. *ced* "rhodd." Ni rydd synnwyr yma, oni ellir
yr ystyr "trysorfeydd" iddo. Felly cynnig Lloyd-Jones
ddarllen *katoed* "lluoedd." Trethau ydynt na thalai (neu *ni
thâl*) neb o'r Cymry mohonynt, gw. 24.

23   **yssyd.** Am y defnydd, cf. B. v. 202, nyt dyn yr eneit, ac
nyt dyn y corff, namyn yr holl peth kysselldedic o eneit a
chorff *yssyd* y dyn ; V.V.B. 168, ir hinn *issid* ille : ir hinn *issid*
Christ. Yma pwysleisir mai arglwydd yw'r un sy'n dywedyd
hyn, h.y. gŵr *dylyedawc* "nobleman," gŵr a hawl ganddo i
ufudd-dod eraill.

a lefeir hyn, a ddywed hyn, sef ll. 22, a ll. 24 ? Trethau
oeddynt nad oedd neb o'r Cymry yn barod i'w talu yn awr,
ac ni ddeuai (ni cheffid) Cymro byth a'u talai trwy orfod yn y
dyfodol, meddai ef.

24   **dyffei,** amherff. dib. 3. un. *dyfod*.

yg keithiwet, o dan orfod, ac yn erbyn braint gwŷr rhydd.

25   **Mab Meir,** cf. 45.

mawr a eir, mawr *o* air, cf. P.K.M. 115, ys glut *a* beth.
Nid y sylw a ddyfynnir yn ll. 24 yw'r *gair* yma, canys ceir
hyn eto yn ll. 45, ar ddechrau adran. Cymerer am Grist,
disgrifiad o awdurdod y Gair dwyfol, yn hytrach nag am Fair
(cf. D.G.G. xlvi, *myn Mair air aren,* llw cyffelyb), oherwydd
ei heiriolaeth gref. Pe'r ail, disgwylid treigliad o *mawr,*
cf. Gwyn. 3, 29, Da Fair *loiw-air:* 30, Fair *ddawnair.*

pryt na, gw. ll. 45 isod ; W.G. 435 ; W.M. 92 a 8, *Pryt na* chysgei enteu ny handenei dim am danei ; B.T. 29, 2, kynan ae kaffwy *pryt pan* wledychwy. Amserol yw'r ystyr yn y rhain, ond yn y testun mae mwy o flas syndod, rhywbeth fel "O Dduw, sut na thardded ?" Mae'n deg cymharu *cruth* mewn Gwyddeleg (cytras *pryd*) a ddefnyddir ar ei ben ei hun fel cysylltiad weithiau (Thurneysen, *Handbuch,* 497), "how, as," fel byrfodd o *in chruth* "in the form, manner."

tardet, gw. C.A. 180–1, 351, *tarddu,* Llyd. *tarz,* Cern. *tardh:* "hollti, torri allan, cracio, burst forth"—dyna'r ystyron cyntefig. Cydier y ferf wrth *rac* yn y ll. nesaf yma ac yn ll. 45. Haws gweld yr ystyr yno, gyda *Kymry* fel goddrych, a *rac goeir* yn dilyn : rhyfedda'r bardd na *hyllt* y Cymry ar eu traws o achos y gwaradwydd, cf. Y.C.M.[2] 54, llidyaw a wnaeth y brenhin yn diruawr y ueint—*breid na holldes.* Felly yma, rhyfedd na fuasid yn ymhollti o achos gormes y Saeson a'u hymffrost.

26 **pennaeth,** gw. 3, arglwyddiaeth.

hoffed, ymffrost, balchder, gw. B. ii. 39–41.

27 **pell bwynt.** Dealler *pell* am le yma, nid fel yn 10 : *bwynt,* pres. dib. 3. llu. neu'r modd gorchmynnol lluosog i gyfateb i *boed* yn yr unigol, cf. "Pell y bônt !" fel ebychiad heddiw.

kychmyn, gwell yw 40, *kechmyn* (gw. 7, *allmyn*) "scavengers." Rhoir iddynt y swydd fwyaf diraddiol i ateb eu "hoffedd."

y wrtheyrn gwyned. Felly yn y llsgr. Sonnir am *Gwrtheyrn* yn ll. 137 : ef a roes gynnwys i'r Saeson ar y cychwyn, yn ôl y traddodiad Cymreig a gedwir yn *Historia Brittonum* Nennius (tua 800). Tybier mai *Pell bwynt cechmyn Gwrtheyrn* oedd yn y gwreiddiol : yna hawdd fuasai i gopïwr droi dechrau ei enw yn *y wrth,* yr arddodiad rheolaidd ar ôl *pell* (*y*) *bo* (cf. Y.C.M.[2] 136, *Poet pell y wrthyf* kywilyd kymeint). Darllener *Gwrtheyrn* a cheir hefyd gyseinedd â *Gwyned,* ond gw. ar 28.

Gwrtheyrn Gwyned. Yn yr *Historia,* c. 40, dywedir i Wrtheyrn wedi i Garmon Sant ei felltithio, wahodd dewiniaid ato, a'u cyngor hwy oedd iddo wneud caer yng nghyrrau eithaf ei deyrnas i ymgadw rhag y Saeson. Yn ei ymchwil am le cyfaddas, ar ôl crwydro'r wlad ar siwrnai seithug, "daeth o'r diwedd i'r fro a elwir *Gwynedd*" (ad regionem vocatur *Guined*), a cheisiodd godi un ym mynyddoedd Eryri. Hysbys yw hanes y dreigiau, a'r bachgen bach, Emrys, neu Fyrddin Emrys, a orchfygodd y dewiniaid, ac a gafodd Ddinas Emrys (ger Beddgelert) iddo'i hun. Bu raid i Wrtheyrn grwydro ymhell i lawr i'r Dehau ger Afon Teifi (c. 47) a chodi Caer Gwrtheyrn yno. Ar ei gysylltiad a *Gwrtheyrnion* (rhwng Wy ac Ieithon) gw. Lloyd, H.W. 253–4 ; Nennius, H.B. c. 47.

Sylwer ar yr odl Wyddelig, -*myn*, -*yrn*, gw. ar 18.

28   **ef gyrhawt.** Gall fod yn ddyfodol 3. pers. *gyrru* : gydag *ef*, "he will drive." Pwy ? Nid Gwrtheyrn, yn sicr : ni yrrodd ef y Saeson ar ffo, ac ni wn am reswm dros i ddaroganwr feddwl ei fod yn debyg o wneud hynny. Rhy bell yn ôl yw *Mab Meir*, ll. 25, neu gellid cymharu 41, gwrthottit *trindawt*. Pe darllenid *ef gyrhawr*, *r* yn lle *t*, gydag *ef* fel geiryn "fe" ; cyfeirir at y modd y cychwynnodd Hengyst a Hors o'u gwlad. Yn ôl Nennius, pan oedd Gwrtheyrn yn teyrnasu ym Mhrydain, ac mewn ofn o achos ei elynion, Pictiaid, Gwyddyl, Rhufeiniaid, ac Emrys, digwyddodd i dair llong gyrraedd y tir, ac ynddynt yr oedd y ddau frawd Hengyst a Hors. Am y llongau hynny arferir term Saesneg *ciulae* "keels," a dywedir eu dyfod o'r Almaen, a'u bod wedi eu *gyrru i alltudedd* (interea venerunt tres *ciulae* a Germania *expulsae in exilio*). Derbyniodd Gwrtheyrn hwynt yn garedig, a rhoes iddynt yr ynys a elwir yn eu hiaith hwy, Tanet (Nennius, H.B. c. 31). Wedyn cyflogodd hwy i ymladd yn erbyn ei elynion. Dyna stori'r Cymro Nennius, a hon a gredid gan awdur yr Armes, nid un Beda, a ddywed mai anfon am y Saeson a wnaeth Gwrtheyrn (H.E. c. xv, Tunc *Anglorum sive Saxonum gens invitata* a rege praefato, in Brittaniam tribus longis navibus advehitur). Dilyn yr *Anglo-Sax. Chron.* (dan 449) adroddiad Beda, ond yn lle gwahodd y *gens*, neu'r genedl, dywed i Wyrtgeorne wahodd Hengest a Horsa : ni sonia mai tair llong oedd ganddynt. Yn y ddeuddegfed ganrif, ceir Sieffre yn cadw'n nes at ffurf Nennius ; tair llong ; Hengyst a Hors a'u milwyr wedi eu halltudio o'u gwlad am fod gormod o boblogaeth ynddi; nid cosb ydoedd am eu camweddau, dewiswyd hwy trwy goelbren ; am y ddau dywysog, honnir eu bod o lin brenhinoedd. Fe'u cynigiant eu hunain yn filwyr cyflog i Wrtheyrn. Diddorol ac awgrymiadol yw'r amrywio !

Gan fod yr *Armes* yn gyson yn pwysleisio ister gradd y
Saeson, a bonedd y Cymry, addas yw dechrau'r dilorni trwy
nodi mai alltudion oedd y dyfodiaid i'r ynys, crwydriaid
digartref digyfoeth difro, "Gyrrir hwy o'u gwlad." Wedyn
eir ymlaen yn 29–34 i ddangos grisiau eu dyrchafiad. Ceir yr
un ystyr os cedwir *gyrhawt*, a'i ddeall fel cyfystyr â *gyrrawr*
"gyrrir." Credaf nad oes gwahaniaeth rhwng -(*h*)*awt* a -(*h*)*awr*
mewn rhai testunau, cf. R.P. 5 a 41, torredawd geir a chreireu /
(eu) *diuanwawt* gwir *lletawt* geu. Yr un ystyr sydd i 5 b 2,
diuannwawr gwyr *lletawr* gwat. Neu cymerer R.P. 7 a 22,
hyd *hellawt*, lle profir -*awt* gan yr odlau. Yn sicr yr ystyr yw
fod hydd yn *cael ei hela*, nid *yn hela*.

29   **arhaedwy,** dyfodol 3. un. *arhaeddaf*, G. 42 : gw. P.K.M. 197
arno, cf. H. 231, *erreityeisty* ehang o yng ; 236, mawrdwryf
arraet: Llydaweg *dirhaes* "cyrraedd," G.M.Br. 175. Ceir
cyfansoddeiriau eraill (*dihaeddaf, cyrhaeddaf*), a'r ferf syml
haeddu (cf. W.-P. ii. 481–2, ar *haeddel*). Yn y testun "no one
will have them."

       dioes, cf. 156 (am y Saeson eto), *nys dioes eluyd*, yr un pwynt
ag yma ; B.T. 37 (am y gwynt), ny *dioes* eisseu gan greadur-
yeu ; 21, 9, pan yw rud egroes neu wreic ae *dioes:* R.P. 4 a 24,
A chiwtawt plant adaf . . . A *dioes* gwaret hyt urawt ; G. 363,
"amgyffred, adnabod, cadw, gwarchod, cynnwys." Gwell
gennyf ei gymryd fel y Llydaweg Canol, *deveux*. Yn y person
cyntaf ceir *am eux*, yr ail *az eux*, a'r trydydd *en deveux, he
deveux* "he has, she has," gw. Lewis, *Ll. Llyd. Canol*, 46–7.
Yn y testun dealler fel "nid oes daear ganddynt," pobl heb
wlad ydynt. Am yr odl -*ar*, -*er*, cf. C.Ll.H. 3, *dywaes, las,
was*.

30   **py,** pam ? Cf. W.M. 227 b, Ha uab *py* liuy *"Why* dost
thou blush ?"

       treiglynt, gw. Ch.O. 33–4 ; *treiglaw* "troi, mynd am dro,
teithio" ; yma "crwydro, wander about."

31   **Danet,** ynys Thanet, Kent, gw. Nennius, H.B. c. 31,
Guorthigirnus suscepit eos benigne et tradidit eis insulam,
quae in lingua eorum vocatur *Tanet*, Brittanico sermone
Ruoihm, "Derbyniodd Gwrtheyrn hwy'n garedig a rhoes
iddynt ynys a elwir yn eu hiaith hwy *Tanet*, yn Gymraeg
Ruoihm" (amrywiadau ar yr enwau yw *tanett, thanet, tenet:*

ruichun, ruoichim, ruoichin, roihin, ruimh). Sylwer mai *D*-yw'r sain gysefin yn yr Armes. Ai effaith treiglo ar ôl *Ynys* ? Ond cf. *Deodric* yn Nennius am *Theodric*, mab Ida.

fflet, cf. isod 52 ; *Deff. y Ffydd* (Kyffin), 113, Ai tybied y maen-hwy nad ydis bellach yn cwbl weled eu *ffled* a'u dichell-ion nhwy ? R.P. *32* b 2, Brenhin gogonet . . . ny cheit oe barthret na *phlet* na phla ; 128 a 10 (dychan i Fadawc) tristgorn risc fflotyatwisc *fflet:* M.A. 208 a 10, Yssym eur ac aryant nyd *fled* : 34, Ac or pryd y prouaf nad *fled* / Nath adws yessu eissywed. Ni thâl esboniad Loth, A.C.L. iii. 40 : gwell yw "twyll" neu "celwydd." Gair gwahanol yw Llyd. *fled, fletenn* "gwely ar lawr," cf. Sweet, *Dict. Anglo-Saxon, flett* "floor" : *flettrest* "bed."

called. Credaf fod dau air, un yn golygu twf, tyfiant, coed (gw. C.A. 331–2), a'r llall yn enw o *call* "doeth, cyfrwys," yn golygu "cyfrwyster, ystryw," gw. M.A. 223a, a llu o Ffreingc ffyr *ffrawdd galledd.* Ni welaf fod dichon gwneud un o'r ddau. (Am *ffrawdd* gw. C.A. 339.) Yma, gyda *fflet* "trwy gelwydd-ystryw," trwy ystryw gelwyddog.

32 **Hors a Hegys,** yn yr un drefn, Nennius, H.B. c. 31, *Hors et Hengist.*

yng eu ryssed, gw. ar yr enw C.A. 352–3, "rhwysg, cyflawn-der," efallai "nerth." Cyf*yng* oedd hi ar y Saeson pan ddaeth-ant yma gyntaf ; neu, chwedl llafar gwlad, yr oedd hi yn *fain* iawn arnynt. Cydia *yng* wrth *Heng-* yn *He(n)gys(t)*.

33 **kynnyd,** ennill, ennill tir, B. ii. 299.

ywrthyn, oddi wrthym, ar ein cost ni.

anuonhed, gw. 14. Nid enw (fel G. 27), ond ans. "ignoble," taeogaidd.

34 **rin,** cyf-rin-ach, dirgelwch, yna rhin-wedd, D. "arcanum, secretum," a hefyd "mos, ingenium, qualitas, virtus."

dilein, cf. 42, berfenw *dileaf,* gw. C.A. 285. Yr enw yw *dileith,* P.K.M. 148, a wnâi'r tro yma, efallai, i odli â *keith.* Credaf fod *rin-dilein* neu *rin-dileith* yma yn cyfeirio at Frad y Cyllyll Hirion, yn stori Nennius, lladd trwy ddichell.

keith, caethion, caethweision (llu. *caeth,* cf. *maen* a'r llu. *main*).

ymynuer, gw. P.K.M. 249, B.T. 61, 16, kat yn ryt alclut kat *ymynuer:* B.B.C. 88, kyuo[e]thauc duu douit, a peris lleuver lleuenit, hael *vynver heul* in dit. Dengys yr olaf fod *mynver* yn addas am yr haul, un ai oherwydd ei oleuni llachar, ei ysblander, neu ynteu oherwydd ei ffurf, cylch crwn. Awgryma'r ddeupeth y glos minn yn M.C. ar *sertum*, "coronbleth, cae neu dalaith," Gw. *mind* (Windisch, W. 691, "insigne, diadema") ; ar yr olaf gw. Loth, R.C. xliv. 362-8, a'r cyfeiriadau yno. (Methodd ag adnabod y gair yn y testun ; a'i gamddarllen fel *gwynver* yn B.B.C. 88, gw. R.C. xxxviii, 299).

Yr ail elfen yn *mynfer* yw *ber* (cytras Ll. *fero*, S. *bear*), cf. lleu-*fer*, a arferir am lamp a hefyd am oleuni, P.K.M. 283. Dichon *mynfer* hefyd olygu weithiau un sy'n gwisgo talaith, taleithiog (*caeawg*, C.A. 69), weithiau'r goron neu'r dalaith ei hun. Yn B.B.C. 88, *hael fynfer heul* yw'r haul dan goron llachar ei ogoniant, fel teyrn taleithiog. Yn y testun dywedir yn goeglyd fod y *ceith* Seisnig bellach yn gwisgo'r goron ; *ymynuer*, fel *yn fynfer*, "churls now wear a crown." Ceir adlais clir o'r un teimlad yn I.G.E.[1] 254,

> Nid ym un fonedd heddiw
> A'n galon, *hil gweision* gwiw :
> Nag un gyff, iawn y gwn gur,
> A Hensist a Hors hensur.

Bonheddig, gŵr o dras, yw'r Cymro : hil caethion, anfonedd yw'r Saeson, dyna'r nodyn a darewir o'r Armes i Siôn Cent ac wedyn.

35 **dechymyd.** Digwydd y gair eto yn 36, 39, ac **mewn hŷn** orgraff yn 37, *decymyd,* gydag *c* am *ch.* Ansicr wyf **o'i ystyr.** Daw i mewn ar ddechrau pedwar datganiad sy'n **arwain at** ll. 40, *pan uyd kechmyn Danet an teyrned,* ond ceir *dychyfroy* yn ei le ar ddechrau'r pumed, ac awgryma hynny mai cyfystyron ydynt. Yn y cyntaf sonnir am fedd-dod a llawer o fedd. Os yw *dechymyd* yn ferf, ac yn dwyn y ddeupeth hyn i berthynas â'i gilydd, rhaid mai'r ystyr yw fod yfed llawer o fedd yn *peri* medd-dod, yn ei *gynhyrchu,* neu'n arwain iddo. Y drefn yn y ll. hon felly yw berf, gwrthrych, goddrych. Yn yr ail daw *dechymyd* gydag angen ac angau llawer. Amwys yw hynny, gall olygu fod angen yn peri marw mawr, neu fod marw mawr yn magu angen. Yn y trydydd, ceir *anaeleu*

(dolur, poen) a dagrau gwragedd. Prun yw'r goddrych yma ?
Mae dagrau gwragedd weithiau yn arwain i ryfel a dioddef,
ond mwy naturiol yw'r drefn arall, fod dolur yn cyffroi
gwragedd i wylo ! Yna daw *dychyfroy* gydag *etgyllaeth* "trist-
wch, galar," a phennaeth neu lywodraeth hanner barbaraidd.
Yn sicr y drefn yma yw berf, gwrthrych, goddrych : mae
llywodraeth greulon yn cynhyrchu tristwch, nid y gwrth-
wyneb, tristwch yn cynhyrchu llywodraeth greulon. Yna
daw *dechymyd* gyda tristyd a chymal tywyll, *byt aryher*,
a ellir ei gymryd fel cyfystyr i bennaeth lletffer y ll. o'r blaen,
gan fod *etgyllaeth* a *tristyd* yn gyfystyron. Yna cloir y cwbl
gyda ll. 40, "pan fydd Saeson yn arglwyddi arnom."

Rhydd Silvan *dechymyd* dan *dychymod* "to agree or accord
with, to be consistent with, to be usual" : dyfynna'r testun,
a hefyd y ddihareb "Ni *ddygymmydd* medd â chybydd."
Iddo ef, pres. 3. un. cyfans. o *bod* sydd yma. Gall hynny fod,
ond gofyn y gystrawen gyffredin am *â* neu *ag* gyda *cymod*
(gw. G. 236), a *dygymod*, ac nid oes *a* yn yr un o'r brawddegau
hyn. Dyna pam y gorfodir fi i chwilio am ferf a chystrawen
arall, os oes modd. Pe rhoem "golyga" (neu'r S. "means")
fel berf yn y llinellau hyn, ceid ystyr addas a'r un drefn yn y
cwbl, mi dybiaf. Mae yfed llawer o fedd yn golygu medd-dod ;
yna, gan ddilyn yr un gystrawen (berf, gwrthrych, goddrych),
golyga marw mawr y bydd gweddwon ac amddifaid mewn
angen : ystyr dagrau gwragedd yw profedigaeth ; lle bo gormes
farbaraidd bydd galar, a'r lle bydd y byd o'r tu chwith, a'r
caethwas yn deyrn, golyga hynny, yr un mor sicr, mai tristwch
fydd yn ffynnu yno.

Methaf â chydio'r ferf wrth y gl. Hen Lydaweg *cemidiet*
(ar y Ll. *concidit*, torri'n ddarnau, distrywio, lladd) a chyfan-
soddeiriau *ben-* mewn Gwyddeleg (Pedersen, V.G. ii. 461–3) :
etyb y ffurf, nid yr ystyr, gw. Z.C.P. (1939), td. 300. Yn sicr
gellid cydio wrth hwnnw *ysgymmyddio* (a roir gan T.W. ar
obtrunco "lladd, torri pen, brigladd" : *trunco* "cwttogi, darnio,
ysgymmyddio" : *ysgymmydd* (T.W. ar *subiculum* "cymmyn-
gyff, ysgymmydd" ; cyfeiria D. at *ysgemmydd*, ac esboniad
D.P. arno, sef *scamnum*) gw. G.G. 352, am enghreifftiau.

meddaw, dyna sydd yn y llsgr. ond rhaid darll. *meddawt* i
odli â *wirawt*, cf. 102.

gwirawt, diod. C.A. 116.

37 **anaeleu,** cf. 72. Ar *anaele* dyry D. "dolor, noxa," ond
anaeleu sydd yn ei enghreifftiau oll, megis Llaw pawb ar ei
anaeleu (cf. Pawb â'i fys lle bo'i *ddolur*) : D.G. Gweau *anaelau*
o nych : D.B. Aml i'm gwnaeth hiraeth hir *anaelau* / Am laith
gŵr dewr dur ei lafnau. Felly R.P. 59 a 32, a phechawt y
cnawt cnwt *anaeleu* (odl yn *-eu*) = M.A. 315b, cnut anaeleu.
Pan sylweddola'r tywysog iddo golli dau o'i brif filwyr (M.A.
191 b), tyr allan : Ochan Grist, mor drist wyv o'r *anaeleu* /
O goll Moreitig mawr ei *eissieu.* Dyry G. 26, *anaele* "dolur" ;
ac *anaeleu* fel ans. "erchyll," fel enw "poen, tristwch." Yn y
testun gofid neu ddolur yw.

38 **dychyfroy,** hen org. am *dychyffrwy* neu amrywiad arno (fel
moe yn Llyfr yr Ancr am *mwy*), cf. B.T. 29, 30, rac rynawt
tan *dychyfrwy* mwc ; B. iv. 46, *dychyffruy* kenhyf yg kyman /
peleidir guyr go ieithin unbaran (diweddarwyd yn B. vii, 28,
Dychyffry cynnif yn ghyman). Ceir y ferf hefyd yn B.T.
43, 21, Aduwyn gaer yssyd ae *kyffrwy* kedeu. Ar yr enghraifft
olaf hon, yr unig un yn y Cynfeirdd, dyry G. 222 "? cynyddu,
amlhau, cynnull."

Y tarddiad symlaf o *ffrwy* yw o **sp(h)reig*- W-P. ii. 683,
gwreiddyn a olyga chwyddo, a welir yn y Gr. *sphrigaô* (L.S. "to
be full to bursting, to be plump and full, to swell with pride").
Yn B.T. 43, gall hyn fod yn addas, wrth ddarllen *cedeu* neu
cerd(d)eu. Llawn gyforiog yw'r gaer o'r naill neu'r llall. Berf
anghyflawn yw yno, ac felly *dychyffrwy* yn y testun : golyga
pennaeth lleddfer fod cyflawnder o edgyllaeth yn y wlad.
Yn B.T. 29, lle mae'r ferf yn gyflawn, gellir cyfieithu yn bur
debyg, fod cyflawnder o fwg lle bo tân nerthol, neu'n fanylach
fod "pyffiadau" ohono, cf. ystyron S *puff* (am fwg, ac am
ymchwydd). Ond y mae grym go debyg i'r gwr. *sp(h)ereg-*,
bod yn llawn gyforiog, chwyddo, a hefyd, fel y gwr. syml
sp(h)er-, chwalu, gwasgaru, neidio i fyny. O hwn y daw'r
S. *spring*, ac o ffurf arall arno *ffrwst* yn Gymraeg. Nid anaddas
yw sôn am fwg yn "neidio i fyny," yn "tarddu." Dwg hyn
ni i fyd *cyffro* "neidio i fyny," a gwelir fod *dychyffruy* B. iv,
wedi ei ddiweddaru i *dychyffry,* fel pres. 3ydd. *dychyffroaf,* yn
B. vii. Yn y testun gwrthrych y ferf yw *etgyllaeth* "tristwch,
dolur, hiraeth" ; gw. G. 222 ar *cyffro* a'r enghreifftiau yno
ohono gyda *cawdd, galar, dolur.* Cf. hefyd R.P. 21, 6,

dychyffre gwaew gwaetlin : gall y ferf yma gynrychioli'r gwr. *sp(h)ereg-* yn syth.

pennaeth lletfer, llywodràeth neu deyrnas greulon, ormesol, farbaraidd. Ystyr *lled-* yw "hanner" ; *ffer* "cadarn, ffyrnig," C.A. 172, C.Ll.H. 88. Yn H.G.C. 110, cyfieithir *lletfer* i'r Ll. *ferinus* "bwystfilaidd."

39   **tristit,** hen org. tristyd : odlir â *byt.*

      ryher, efallai am *reher,* pres. dib. amhers. *rhe,* cf. *dy-re, atre, pelre, olrheaf, dwyreaf,* C.A. 252, Lloyd-Jones, B. iv̇. 53, Loth, R.C. xlvi. 218–9, a chytrasau fel y Ll. *rego,* Gw. *regaid,* a'r S. *reach,* a *rack.* Yr ystyr y mae'r cyd-destun yn ei ofyn yw byd wedi ei chwyldroi, nes bod popeth o'r tu chwith, y caethwas yn deyrn, etc. Neu ynteu byd ar ei *her* (o *ser-* cf. 68 isod).

41   **gwrthottit,** cyfystyr â *gwrthoded,* gw. W.G. 329, § 177, ii. 2, ar y ffurf. Yr ystyr yw "Boed i Dduw droi'n ôl y ddyrnod a fwriedir," sef ll. 42, dilein gwlat Vrython.

      pwyller, cyfystyr â *pwyllir,* o *pwyllaw* "bwriadu," C.Ll.H. 135, *Pwyllei* Vran . . . vyn dihol i : B.B.C. 49, pir *puyllutte* hun, "Pam y meddylit ti am gysgu ?"

42   **y dilein.** Hir yw'r ll. er gadael *y* allan ; felly cf. hyd 110. Y bwriad yw *dilein* neu ddinistrio gwlad Frython, ac wedyn Saeson i'w chyfanheddu.

      yn anhed, wedi setlo i lawr i fyw.

43   **reges,** gw. *Y Beirniad,* 1916, td. 213, benthyg o'r Ll. *recessus* (cyferbynner ag *aches* o *accessus,* C.Ll.H. 74) "a going back, retiring, retreat, departure," opp. to *accessus:* so of the *ebb* of the tide, Andrews. Cynt yr êl Sais yn ôl i alltudiaeth nag i Gymro fod heb wlad, heb fro iddo'i hun.

44   **diffroed,** difroedd, cf. B. ii. 128, 130, "alltudedd, unigrwydd, tristwch" : *difro,* C.Ll.H. 141, "digartref," yna "estron," ac wedyn "trist."

45   **Mab Meir,** cf. 25.

      terdyn, gw. ar 25.

46   **goeir,** go-air, cf. 50 : agos yw i ystyr *an-air,* gwarth, "infamy" ; nid oes blas cyffelyb i'r cytras Gw. *foghar, fo-ghair* (*fogur*) "sŵn, tôn, ynganiad," ond cf. defnydd heddiw o *gair gwan,* "low repute," yr eithaf oddi wrth *eirda.*

breyr, neu *brehyr*, gw. G. 76, "uchelwr, arglwydd," gw. A.L. i. 350, Tri ryw dyn yssyd *brenhin* a *breyr* a *bilan* ac eu haelodau (esbonnir *breyr* gan y golygydd fel a "mote-man," a baron) : Williams-Powell, *Llyfr Blegywryd*, 5, 12 ; nodyn 168, etyb *breyr*, meddir, i *uchelwr* yn Llyfr Gwynedd, y cyntaf yn dra chyffredin yma, a'r ail rhyw chwe gwaith : Wade-Evans, W.M.L. 328, "a noble, representing a higher grade of the bonheddig or gentle class. . . . In the early Latin texts it is represented by *optimas*, as bonheddig is by *nobilis*." Sylwer mai gŵr o'r Deheubarth a ganodd yr *Armes:* felly cyson yw â'r arfer yno.

Gellid *brehyr* o gyfans. *brogo-rix*, "brenin bro," ffurf a geir gan Holder fel enw Galatiad ac fel rhan o enw arall *Andebrogirix*, 139, 621. Gwell gennyf hynny na chynnig Loth, R.C. xl. 450, mai o **brĭg-* y daw. Affeithid yr ail *o* gan *i* hir yn *rix* i *y* (fel *Teutorix*, Tudyr ; *Maglorix*, Meilyr, etc.), a'r *o* gyntaf i *e* (fel *cyfegydd*, Hen. Gym. *cemecid*, cf. *ogi, cyfogi* "to whet"). Daw'r *-h-* o *-gh-* o *-g-*, cf. yr *h* yn *mehyn* a'r Galeg *magos*.

vnbyn, llu. *unben* (gw. 3), gair a ddefnyddir yn aml wrth gyfarch arglwydd neu bennaeth, "chief, lord." Yma golyga'r boneddigion o radd is na'r *breyr*.

47 **kyneircheit** (61, *kynyrcheit:* 77, *kyneircheit*), B.T. 5, 14, Seint . . . ketwyr neb (*nef* ?) cu *kyneircheit*. Rhydd G. 263 ddwy ystyr, "cynhyrchydd" (gan ddewis *cynyrchiad* fel y safon a *cynnyrch* fel bôn) a "dilynwr" neu "gosgorddwr," gan gydnabod y gellir ei gydio wrth *eirchiad* weithiau. Gan fod *eirchiaid* "suitors" yn enw cyffredin ar y rhai oedd yn erchi "gofyn" gan yr arglwydd (a'r beirdd ar y blaen yn eu plith !), efallai mai'r ail ystyr sy'n ateb orau yma, rhywbeth fel *clientes* y Lladinwyr ; yn fras, gwŷr llys : nid y radd isaf ohonynt ond yr uchaf—dyna rym y *cyn-* neu *cynt-* yn y cyfansawdd. Yn y testun cyferbynnir hwy â'u noddwyr, y *cyneilweit*—dyna sy'n penderfynu'r ystyr.

kyneilweit, y rhai oedd yn *kynhelw* "cynnal, noddi" ; gw. trafodaeth ar wahanol ffurfiau'r enw yn C.A. 198 ; cf. H.G.C. 110, a christ a vo *audur* a *chynhelwr* ynn y henne ac nyt diana nac *apollo:* gw. ystyron amryfal y Ll. *auctor* "father, author, instigator, one by whose influence, advice, etc., anything

happens or is done, a voucher, surety, witness," etc.; cf.
Isidor, *Etym*. VIII, ix, Pythonissae a Pythio Apolline dictae,
quod is *auctor* fuerit divinàndi. Felly yn H.G.C., nid Apollo
ond Crist yw noddwr "patron" yr hanesydd yn annog, cynnal,
a chynorthwyo.

vn reith, gw. ar 19, pawb yn dweud yr un peth, fel ei gilydd.

48　　**vn gor.** Ceir amryw ystyron i *cor* yn Gymraeg a chymorth
i'w dosbarthu yw cymharu ystyron *cor* mewn Gwyddeleg,
megis tafliad, gosodiad ; tro, pleth ; symudiad, naid, cytun-
deb, cylch crwn (gw. C.I.L. 486) a hefyd "a setting to music,
melody, tune." A'r olaf cf. enwau mesurau cerdd dant,
M.A. 1073, *coraldan, corsinsan* (cf. Gr. *siansa* "harmony,,
melody, clamour" ; *siamsán* "merriment, noise, whizzing" ;
siansán "a buzzing or humming noise") : o lyfr Gr. Hiraethog,
Cor Alun, Cor Elvyw, Cor Elvan, ac amryw eraill, digon i
brofi fod ystyr gerddorol i *cor*.　Gw. hefyd H. 86, nyd adwyd
(*athwyd*—aethost) hebof *heb gof heb gor* "heb gof heb gân" ;
G. 163–4 ar *cor* yn Gymraeg ; rhydd ef ddewis yn y testun
rhwng "bwriad, amcan," a dyfodd o'r ystyr gysefin "bwrw,
taflu," "ac yn y cyfansawdd *un-gor* (cymh. *edafedd u.*) yr
ystyr "tro" (cymh. yr ystyron "cast, twist, plait" a roddir i'r
Hen Wyddeleg *cor*)." Trafodir y gair neu'r geiriau gan Loth
hefyd, R.C. xliv. 272–81. I mi, fodd bynnag, mae'n haws
deall *un gor* yma fel "un gân" (rhwng *vn reith* ac *vn gyghor*),
er cydnabod mai "un-bleth" yw am edau (D. Cadarnach yw'r
edau yn gyfrodedd nag yn *vngor*).　Nid yw'n hawdd penderfynu
chwaith beth yw *cyngor*, gan fod cryn sŵn yn y cyfryw a hefyd
cryn benbleth a throi mewn cogwrn.　A'r holl linell cf. B.T.
73, Deu lu yd ant bydant *gysson*, yn *vn redyf vn eir kyweir*
kymon ; ac 108–9 isod, *vn gwssyl, vn cor vn gyghor:* 126, *yn
gyweir gyteir gytson, gytffyd.* Sylwer ar *un-eir, cyt-eir: cys-son,
cyt-son,* cyfansoddeiriau o *son* a *gair* i ddangos cytundeb
perffaith.　A hynny sydd hefyd pan fydd pawb "yn *un gân.*"

vn gyghor. Nid nifer o bobl yn trafod pwnc yw yma, ond
y penderfyniad ar y diwedd wedi ei dderbyn yn unfrydol,
pawb o'r un farn.

eissor, fel enw "dull, modd, tebygrwydd" ; D. "similis,"
cf. B.T. 21, 25, Gogwn eu *heissor* (tebyg i beth ydynt—am yr
anifeiliaid yn y môr) : 46, 1. *eissor* llyw heechan (=llyw-

hethan) "megis draig." Cyffredin yw gydag enw arwr yn y Gogynfeirdd, megis M.A. 140a, e. Medrawd ; 174 b, Kaswallaun *eissyor:* G. 207, *kyueissor* "un o gyffelyb anian (dull neu rym), cymar, hefelydd." Yn y testun, "yr un fath a'i gilydd."

49 **nyt oed yr mawred,** nid o falchder, cf. B.T. 24, 23, Bedw . . . bu hwyr gwiscyssit (hwyr oedd y fedwen yn gwisgo ei harfau) nyt yr y lyfyrder, namyn *yr y vawred* (nid o ran llyfrdra ond o ran balchder) ; **yr,** er, o achos.

   nas lleferynt. Yn y ll. nesaf daw *nas kymodynt* yn yr un gystrawen yn union ; dyma'r peth y gwrthodent ei wneud. Ni sonient am heddwch, ac nis gwnaent, cf. C.A. 100, ar *kyn kystlwn kerennyd,* cyn sôn neu yngan gair am heddwch. Y cam cyntaf yw'r sôn am heddwch, yr ail yw cymodi. Ni wnaent na'r naill na'r llall.

50 **yr hebcor** (gw. 48 ar *cor*) i arbed, neu er mwyn cael gwared o ; D. "parcere, vt non necessarium relinquere, omittere" ; R. "to spare, to leave anything as not necessary, to omit" ; ond cf. R.P. 72 b 26, *Hepkor* goror mor Mon ny allaf (h.y. ei adael) ; 148 b 1, Ny *hepkoraf* y rwyf . . . yr delw eur (rhoi heibio, ffarwelio â) ; B.T. 66, 19, dy daw dy *hebcyr* (am y môr yn llenwi a *threio*) ; C.Ll.H. 25, O ebyr *dyhepkyr* tonn.

51 **y Dduw,** enghraifft gynnar o *dd.*
   Dewi, fel sant Deheubarth, cf. 105, 129, 196.
   yd. Gadawer allan, gw. ar 20.

52 **talet.** Berfenw yw yn 103 ; yma modd gorch. 3ydd. un. *talu,* "Taled Duw (neu Ddewi) i'r allmyn am eu twyll, a rhwystred iddo lwyddo," gw. 31 ar *flet.*

53 **gwnaent.** Mewn Cymraeg diweddar gall fod yn amherff. 3ydd. llu. ond mewn C. Canol gorchmynnol yw, a defnyddid *gwneynt* am y llall, cf. B.T. 11, 15, a digonwy kamwed *ymchoelent* y parthgled ; P.K.M. 15, *diskynnent* wynteu am ben y llys. Ni wn beth oedd arfer Hen Gymraeg ymhellach na bod ¸-*int* fel rheol yn derfyniad y presennol mynegol (ond cf. B. v. 237, *bint*), a bod y gl. Llydaweg *roricseti* (V.V.B. 212) yn ymddangos i mi fel bai am *roricsent* (darllen N gyda llinell groes ar ben yr ail linell seth, byrfodd am -*nt,* fel -*ti*), gorberff. llu.—ffurf a gyfetyb fel rheol i'r amherff. llu. Os amherff. sydd yma, yna "they used to do" ; os gorch. "let them do." Cytuna'r olaf â *talet, gwrthodet,* yn 52, ond credaf y ceid gwell ystyr wrth ddarll. *gwnaant,* fel yn 80.

aneireu, llu. *aneir* a esbonnir yn G. 30 fel "drygair, gwarth,"
cf. 46. 50, *goeir*. Petrusaf rhwng *an-* a *gair, an-* a *nair* (gw.
110, *anneiraw,* y ferf sy'n cyfateb) ac *an* ac *air* yn cyf-*air,* cyf-
eirio, ar gyf-*air,* gogyf*air,* Gw. *comair.* Am *nair,* cf. G. 8,
adneir "edliw, lliwied, cabl" ; R.M. 185, nyt hawd gennyf i
dy *atneiryaw* di yr hynny ("dy feio di, find fault with thee,
blame") ; B.B.C. 24, Nac *imadne*[*i*]*run* ("Na feiwn ar ein
gilydd") ; M.A. 227 a 7, Einioes enryded . . . a geiff a gaffer
yn *diatneir* (=di-fai) ; 315 b 8 (am Grist) brotyeu *diatneir*
"faultless judgments") ; Br. Cl. 120, dechymygwn peth ny
allo bot, ac erchi keisiaw hwnnw ; a hwnnw ny cheffir byth,
ac yvelly y bydwn *diatneir* nynheu y wrth y brenhin ("ni chawn
ddrwg gan y brenin, we shall not be blamed"). Pe gellid
darganfod ystyr *nair* heb ragddodiad o gwbl, efallai y gellid
gwell esboniad ar *Neirin, Aneirin,* na C.A. lxxxvii. Am rym
ad- cf. byd, adfyd ; llid, edlid ; cor, atgor ; cof, atgof ; dal,
atal.

Yn y testun dibynna'r ystyr i raddau ar fodd y ferf.
Cynigiaf "Y maent yn gwneud pethau gwarthus."

eisseu, o eisiau, cf. C.A. 79, *gwerth = yng ngwerth* : enw
mewn cyflwr traws yn gyfystyr ag arddodiad ac enw.

trefdyn, o *tref* "trigfan" a *dyn*(*n*), cf. Gw. *dind* "height, hill,
fortress, town" C.I.L. 653 ; ty-*ddyn,* Creu-*ddyn,* gwely-*ddyn,*
llys-*dyn* (llystyn). Mae tuedd yn -*ef-* i roi -*eu-* mewn rhai
cyfuniadau, megis *defnydd, deunydd: edef, edeu* (V.V.B. 124,
etem) ; felly y tyfodd *trefddyn* yn *Treuddyn* mewn enwau lle-
oedd. (Am rym -*dynn* yn y cyfansoddeiriau uchod, cofier
mai adeiladau yw ystyr *tyddyn* yng nghyfreithiau Hywel Dda,
nid darn o dir.)

54   **kyueruydyn,** dyf. 3ydd. llu. *cyfarfod:* yma mewn brwydr,
gw. 17.

55   **y am** (cf. *oddi am*), yma darll. *am* (*am* lan *am*treulaw ac
*am*wrthryn), cf. 58, *am* ac *y am:* B.T. 8, atwyn *y am* kyrn
kyfyfet.

   am lan, cf. C.Ll.H. 5, Ac *am dwylann* Ffraw ; 42, *y am
dwylan* Dwyryw, "o boptu."

   ymtreulaw, difa ei gilydd.

   ymwrthryn, ymladd, ymwthio yn erbyn ei gilydd, o *grynn*
"gwthio," C.A. 92, B. iii. 54–5. Cymerer gydag *o diruawr
vydinawr,* 56.

56   **ymprofyn,** cf. M.A. 214b, Ny chawsan genhyn . . . eithyr gwarth a *gwrthrynn* wrth *ymbroui:* H. 99, hud *ymbraw* am breityaw breisc nenn ; W.M. 196a, arueu . . . ual y caffwyf *ymbrawf* ar marchawc (R.M. 249, *ymbraw*). Y syniad yw fod y naill ochr a'r llall yn rhoi prawf ar fedr a dewrder ei gilydd mewn brwydr, i weld pwy sydd orau, S. "to put to the *test,*" "to match oneself against."

57   **am,** o gwmpas, cf. 55 *am* lan ; 58, *am* Gwy ; C.Ll.H. 34, *am* Drebwll ; H. 63, a chlod a goruod *am* Geiryawc ddyffrynt.

    lafnawr, hen org. am *llafnawr* "llafnau." Am y terf. llu. *-awr,* cf. 56, bydin*awr*.

    gawr, bloedd ryfel, yna brwydr.

    gryn, fel yn 55, *ymwrthryn.*

58   **am Gwy,** ar bob ochr i Afon Wy—hen org. yw'r *g-* yn *Gwy* (cf. Nennius, H.B. c. 70, flumen quod vocatur *Guoy*), heb ddangos y treigliad ar ôl *am.*

    geir kyfyrgeir, bloedd yn ateb bloedd, bloedd am floedd. Hen. org. yw'r ail *g.* Gw. G. 215–6 am gyfansoddeiriau ac enwau yn *cyfr-,* megis cyfr*goll.* Neu cf. *cyfergyr.*

    peurllyn. Gall fod yn fai am *pennllyn:* ond tebycach mai am *peuyrllyn* (*pefr-* a *llyn*). Aı *pefr,* gw. P.K.M. 286, "disglair, hardd, golau." Yn orgraff C. Canol ceir *-y-* yn rheolaidd rhwng *f* ac *r* yn y cyfryw eiriau ; nid felly mewn Hen Gymraeg, cf. Cy. ix. 183, *dubr* duiu, am *Dwfr* Dwyw. Yn y gwreiddiol y tebyg yw mai *pebr* oedd y darlleniad a roes *peur* yn B.T. Rhifer *y am* yma fel deusill.

59   **lluman,** cf. 129, math o faner neu arwydd rhyfel ; D. *llumman* "vexillum, insigne, signum militare ; *llumbren* "hastile vexilli" ; D.W.S. "a baner" ; M.A. 162 a 59, kochliw *luman:* 164 b 9, gwaed *luman* liw ; 174 a, Perchennauc parchus *luman:* 189a, Gnawd gan draws lyw maws *luman* archauad / yn aergad y ar gann ; 211a, Llu racdaw a llaw ar *lluman:* 325, llommach/ no *llumman* Llanferrais ; Lewis, G.M.L. 205, *llumenitiah* "ensignship" (amr. *lumanyaeth*) ; R.P. 19 b 32, cur llauur *lluman. Lumangoch* gwnn vot ; 134b (dychan i swrcot) *hi a vu yn lluman* cregyn lleumeirch ; 159 b 18, tair *lluman* llydan o vlaen pob llu ; H. MSS. ii. 206, deuth y ryw processiwn yny erbyn yn gyw[e]ir o grogeu a *llumanneu* a thapreu cwyr. Dengys y rhain y dygid lluman mewn

llaw, ar farch, a'i "harwain" o flaen byddin ; profir gan R.P.
134b, lle gelwir mantell dyllog mewn dychan yn *lluman*, fod
yr enw yn cynnwys y lliain ac nid y paladr yn unig ; felly isod
130, lle gelwir lluman Ddewi yn *llieing*ant. Sonnir am luman
goch, o liw *gwaed* (neu ystaenedig â gwaed) ; a dygid llumanau
mewn gorymdaith grefyddol. Ni wn pam yr oedd ll. Llan-
ferrais yn ddihareb o lwm ; dichon nad oedd dim ond y paladr
ar ôl a'r lliain wedi diflannu. Yn y testun y mae *ll. adaw*
yn arwyddo ffoedigaeth warthus, cf. R.P. 19 a 14, a llumman
aelaw.

agarw. Gellir darll. *agarw* yn un gair i gyseinio ag *adaw:*
neu'n ddeuair, *a garw*.

disgyn, ymosodiad, gw. 16.

60   **a mal.** Mewn Hen Gymraeg, ychydig cyn amser yr Armes,
digwydd *amal* fel glos ar y Ll. *ut*. Daw o'r Celteg *samal-*
(cf. Ll. *simil-*is), a rhydd hynny yr ansoddair *hafal*. Fel
arddodiad neu gysylltiad rhoes dair ffurf, *mal, fal,* a *fel*.
Daw'r olaf o'r cyfuniad *hafalhyn*, a droes yn *hefelhyn:* yna
hefellyn, gan fod *y* yn y sill olaf yn affeithio'r ddwy *a* o'i blaen
i *e*, ac *-lh-* yn troi'n *ll*. Collwyd *h-* i roi *efellyn* (cf. Llyd.
evelhen), a'r *-n* i roi *efelly*, a'r *e-* i roi *felly*. O'r ffurf olaf hon
yr adffurfiwyd *fel*. Cafwyd *fal* yn yr un dull o *hafal* ac enwau
heb *y* i affeithio. Cafwyd *mal* trwy weithio'n ôl o *fal* trwy
gydweddiad, neu ynteu trwy gamrannu *hamal, amal* yn *a mal,*
cyn i'r *-m-* dreiglo'n *f*. Efallai y dylid darllen hynny yn y
testun (nid cysylltiad *a mal*, megis *ac fel*), cf. 68 isod.

balaon, llu. *beleu* "marten," cf. *ceneu, canawon, canaon*.
Cedwir *-w-* yn B.B.C. 47, Ac am gewin i'r aeluid *bvid balawon*.
Amlwg yw mai bwystfilod ysglyfaethus a olygir yno fel yn y
testun. Yn B.T. 70, *hyt valaon*, enw lle a olygir, medd G. 54,
Loth, A.C.L. i. 459 (cf. Holder, i. 335, *Balavo*, enw lle ar y
Cyfandir, heddiw *Baillou*). Yn C.A. 44, o grwyn *balaot*, ceir
llu. arall, ar ddelw llew-*od* (cyferbynner â *lleuon* B.B.C. 96, 13)
cf. parau fel *eryron, eryrod*.

Ni welaf synnwyr mewn dweud y bydd i'r Saeson syrthio fel
bleiddiaid, a thybiaf mai hynny a barodd i D. yn ei Eiriadur
roi *balaon* fel "bleiddiau," gan roi'r cyfrifoldeb ar Wiliam Llŷn
a T.W. a chwanegu "vid. an etiam Nodos oculosque pullul-
antium arborum significet," a dyfynnu'r ll. hon. Dilynir D.

gan Loth, A.C.L. i. 458, a chyfieitha'r gair fel "blagur." **Ni** welais ddim i ategu'r cynnig. Mae *beleu* (yn y ffurf *bela*) **yn** air byw yn Eryri am "marten."

Cynigiaf, gan hynny, ar bwys B.B.C. 47, ddiwygio'r test**un i** *Amal* neu *Mal* [*bwyt*] *balaon*. Enghraifft yw o fai cyff**redin** wrth gopïo ; neidiodd y copïwr o *b*- i *b*- yn y gair nesaf. **Yr** ystyr yw y syrth y Saeson yn ysglyfaeth i fleiddiaid a'u tebyg.

61 **kynyrcheit,** gw. ar 47.

kyfun, cytûn, unfryd, G. 218. Gellid yr ystyr o *un* "one," neu o *un*-o "dymuno," B. x. 41, C.A. 278.

dullyn, dullynt. Cymerant eu lle yn drefnus yn y llu, **gw.** C.A. 86, 140, ar *emdullyaw* fel term milwrol ; a *dull* "rhestr, array" ; C.Ll.H. 128.

62 **blaen wrth von,** cf. B.T. 27, 23, a wdosti pwy gwell ae[e]*von* ae y *vlaen*.

bon. Arferir am fôn coeden neu ben ôl anifail neu dd**yn,** cf. llysenwau fel *bongam:* P.K.M. 44, deu Wydel *uonllwm* "bare-backed, breechless."

granwynyon, gw. *Trans. Cym.* 1940, 79, ar *granwyn* **yn** *Etmic Dinbych.* Daw o *grann* "grudd," a *gwyn*, cf. C.A. **46,** kwydassei lafnawr ar *grannaur gwin* "blades had fallen **on** white faces." Gan mai gelyn yw *granwyn*, *granwynion*, **yn** ddiau mewn rhai enghreifftiau, tybiaf mai llysenw yd**oedd** (fel *gwyr brychwyn* B.T. 77, 25), a roed gan Gymry tywyll **eu** pryd ar eu gelynion Seisnig pryd golau, fel "Palefaces" **yr** Indiaid Cochion am eu gelynion hwythau. Yma dywed**ir y** bydd blaen byddin neu flaen gwaywffyn y Cymry wrth **ben** ôl y Saeson yn eu gyrru ar ffo.

kyfyng oedyn. Darll. *bydyn* ? Byddant ar eu s**o**dl**au,** neu bydd yn galed ar y gelyn.

63 **yg werth.** I wella'r gyseinedd, darll. *gwerth* "in return for," fel tâl am eu *geu*, eu celwydd, gw. C.A. 79.

yn eu. Darll. *yn creu*, neu *yn eu creu creinhyn* "the stewards, to pay for their lies, will wallow in (their own) blood," i gael synnwyr, odl fewnol, a chyseinedd. Ar *crein*, gw. B. ii. **48.** Arferir ymgreinio am geffyl yn ymdreiglo, yn troi ar ei **gefn** â'i bedolau i fyny.

64 **gwaetlin,** o *gwaed* a *llin* "rhediad," gw. C.A. 155.

yn eu kylchyn, o'u cwmpas, cf. *cylchynu,* a'r gl. *circhinn,* V.V.B. 73.

65   **traet.** Efallai y gellid darll. *troet* i odli â *goet.*

   kilhyn. Nid oes *-h-* yn y ffurfiau berfol yn *-ynt* o 45 ymlaen nes dod at *creinhyn* yn 63. Yn *ffohyn* (66), gall *-h-* fod o'r *-gh-* o *-g-*, Ll. *fuga* "ffo." Ond yma gall fod trwy drawsosod, *cilynt, cilynh, cilhyn,* neu trwy gydweddiad.

66   **bwrch,** o'r S. *burgh,* cf. Niw*bwrch,* Môn.

   ffoxas, "foxes," benthyg o'r Anglo-Saxon, lle ceid *-as* fel terfyniad llu. enwau.

67   **Prydyn,** gw. ar 10.

68   **attor,** G. 46 "? dychweliad." Dyna yw (gydag *ar*) yn 176, *attor ar* gynhon Saesson ny byd. Yma ac yn 190, tebycach yw i "yn ôl," back, back again." I esbonio *-tt-* rhaid tybio rhywbeth fel **ate-sor-, ad-hor-*, cf. W-P. ii. 497, ar *ser-* "llifo, rhuthro, rhedeg, symudiad cryf sydyn (cf. Gr. *hormē, hormaδ*). O'r un *hor-* gellid deall *go-hor* yn B.T. 68, 14, ny bu clyt coet *gwynt ygohor,* os yw'n cyfeirio at wynt nerthol yn rhuthro : H. 86, gwr *diohor,* efallai "di-gyffro, tawel" (G. 365, "difalch, tirion") : a'r ferf pres. myn. 3ydd. un. yn R.P. 151 b 34, Nym *gwehyr* gwahanarch. neum kynnwys dreic bowys drwy barch ; cf. H. 138, *horitor* y glot . . . kertoryon ae daduer.

   Gyda'r rhagddodiad *ate- (ad-)* ceid grym fel *re-* yn y S. *return,* cf. *atcor* yn y Gododdin.

   llaw gyghor, o *llaw* "bychan, isel, trist," gw. *Y Beirniad* vii. 187 ; C.A. 87. Cyferbynnir *mawr*frydedd a *llaw*frydedd "tristwch, melancoli." Etyb *llaw gyngor* i'r olaf o ran ystyr.

   llithryn, cf. S. "slip away." Defnyddid llithro gynt am redeg, llifo, cf. Ll.A. 18, ffynnawn y drugared a *lithrawd* or wyry veir (de Virgine *emanavit*) : Ding. Brut. 316 (=*uergere, elapsus, dilabuntur, manabit,* etc.) : 104, ac auonyd y glynneu a *lithrant* o waet (=R.B.B. 144, a *redant*) ; 105, aryant a *lithyr* o garneu (R.B.B. 146, a *ret*) ; Delw y Byd, 57 (*labitur*) ; 55, odyna y *llithir* yn groew y'r ffynhonneu, ac odyna yndaw e hun y *llithyr* (*refluit*), 87, 2. Yn y testun cymherir encil y gelyn i'r môr yn treio.

69   **Kaer Geri.** Ym Muchedd Alfred, M.H.B. 482, dywed Asser ar yr enw lle *Cirrenceastre,* sef Cirencester, "qui Britannice

Cairceri nominatur." Bu Asser farw yn 909 neu 910, a thyst yw i Gymraeg cyfnod yr Armes. Am Gymreigiad diwedd-arach o'r enw Saesneg, gw. Lewis, B. x. 127, *Caer Fuddai.*

difri, angerddol, difrifol, "earnest." Nid oes -*f*, fel y dengys yr odl â *Geri,* ac enghreifftiau G. 340.

70 **y dyffryn a bryn.** Gall *y* olygu *i* neu *yn:* cf. *ar* fryn a dôl. Cwynant ym mhobman heb gelu heb wadu mai trychinebus fu eu taith i Aber Peryddon.

71 **mat,** da, lwcus, ffodus, gw. B. ii. 121-2 ; C.A. 224, *ny mat* gyda'r ferf. Ffurfia *mat doethant* ferf gyfansawdd, ac ni threiglid berf yn *m-* ar ôl y negydd.

72 **anaeleu,** gw. 37. Yn y llsgr. daw *eu* ar ôl y gair ; fe'i croeswyd allan, a rhoi pwyntiau dileu odanodd. Gofidiau oedd y trethau a gynullwyd.

73 **y discynnant.** Dengys *y* fod *naw vgein canhwr* mewn cyflwr traws, felly "*with* 18,000 men they attack."

74 **mawr watwar,** math o ebychiad, "What a shame, what mocking !"

namyn, unsill (*namn*), fel yn 184, 194, B.T. 54, Tri lloneit prytwen yd aetham ni idi, *nam* seith ny dyrreith o gaer sidi ; yn y penillion eraill rhoir *namyn* yn y llinell gyfatebol. Y ffurf lawn oedd *namwyn,* gw. ar hwnnw isod ar 78. Am *nam,* gw. C.Ll.H. 141 ; Hafod 1, 21a, *nam* seith mlyned, cf. *twym, twymn, twymyn.*

petwar, sef pedwar ugain cannwr, neu 8,000.

atcorant, dychwelant, gw. C.A. 74, ar frawddeg debyg, (*nyt*) *atcoryei namen vn gwr o gant.*

75 **dyhed,** fel rheol "rhyfel," cf. 4 uchod. Yma, hanes rhyfel, stori enbyd.

76 **creu,** gwaed, cf. *creu*-lawn.

77 **kyneircheit,** gw. 47, 61. Enwir hwy yn y ll. nesaf, *gwyr Deheu.*

eneit dichwant, ans. cyfans. "dibris o'u bywyd, reckless of their lives" ; C.A. 249, *eneit* "einioes, bywyd" ; 131, arwr "a werthws e *eneit*" er clod ; cf. 51, *carut vreidvyw.*

78 **amygant,** gw. C.A. 249-50. Yn aml gellir esbonio y ferf *amygaf* fel "amddiffyn," ond ni thâl hynny yma nac mewn testunau eraill. Yn y Gododdin dywedir am yr arwyr "Gwin a med a *amucsant*" ; nid amddiffyn eu diod a wnaethant ond ei gymryd, gw. B. x. 136, lle cynigiais gyfieithu ei ferfenw

amwyn weithiau fel "mwynhau." Credaf bellach y medrwn
ddod yn nes byth i'w ystyr wrth ei ddeall fel "cymryd
gafael," cf. H. 246 (marwnad), Agheu . . . plant adaf ry *amuc*.
Nid amddiffyn plant Addaf a wna Angau ond eu cymryd iddo'i
hun. Felly C.A. 200, pan vuost . . . en *amwyn* tywyssen
gordirot (h.y. yn meddiannu, gafael yng nghnydau'r gororau)
209 (y bardd mewn carchar caeth, ond daeth arwr) o nerth e
kledyf claer e *hamuc* (h.y. ei achub, ei gymryd o law'r gelyn) ;
Y.C.M.[2] 116, Kyrchwn Cesar Awgustwm . . . na ochelwn
dreulaw an buched yn y *hamwyn* (h.y. yn ei chymryd : nid
oedd y dref eto yn eu meddiant, fel y dengys geiriau'r gelyn,
121, fod Siarlymaen yn dyfod i amgylchynu "dy dinas di,
ac nyt a y wrthaw *yny caffo*"). Hen ystyr *achub* oedd "gafael,
cymryd gafael"—daw o'r Ll. *occupo*—a gellir ei gyfieithu
"occupy" yn aml. Felly, cf. C.Ch. 17, eu bot *y amwyn* vyn
teyrnas i oc eu swynneu = B. v. 218, eu bot *yn achub* vyn
teyrnas oc eu swynneu. Cyhuddir y Ffrainc o geisio *medd-
iannu* gwlad Hu Gadarn. Dengys hyn mai cyfystyron oedd
achub "to seize, to take possession of," ac *amwyn:* dyna pam
yr aeth yr olaf i olygu rhywbeth fel amddiffyn. Yn y testun,
fodd bynnag, yr ystyr yw fod Gwŷr y Dehau yn dal eu gafael
yn eu "tretheu."

O'r berfenw *amwyn* ceir help pellach. Ar *namwyn, namyn,*
dywed W.G. 442, "It is sometimes found without *n*- by false
division," a dyfynnir *amyn* ac *amen* o'r Cyfreithiau (cf. *Llyfr
Du o'r Weun,* 16, na dely ef teghu *amyn* yu korn, "na ddyly
dyngu *amyn* i'w gorn"). Gan y gellir troi *namwyn, namyn,
amyn* i'r S. *except,* benthyg o'r Lladin, mae'n werth ystyried
y Ll. *excipio* a'i ystyron, "to take to one's self, to catch,
capture, take, receive." O'r ferf hon y cafwyd *except,* ac
addas yw ei hystyron i *amygaf, amwyn* yn Gymraeg, fel berf
a berfenw. Onid teg, gan hynny, yw casglu mai o *amwyn*
y berfenw y cafwyd yr arddodiad *namwyn* "except" ?
Medrwn gyfieithu'r frawddeg gynnau o'r Llyfr Du, fel "he
ought not to swear *except* by his horn," neu ynteu, "excepting."
Ystyr *cant namyn un* yw "a hundred except one," neu "except-
ing one." Tybiaf, gan hynny, ddyfod *namwyn* "except" o
yn amwyn "excepting" ; cywasgiad yw'r cyntaf o'r olaf
(cf. L.L. *nihit* "yn ei hyd" ; B. xi. 88, 89, *Neithyr* "yn eithr,"
=S. "but" ; neu'r modd y cafwyd *n'ad* "Na ad" : *nadu*

"rhwystro" ; ac o *heb ado un*, trwy amryw ffurfiau, *bado un, bod ag un*). Nid camraniad o *namwyn, namyn* yw *amyn*, ond ffurf ar y berfenw *amwyn* ei hun, heb arddodiad, ond mewn cyflwr traws a oedd yn gyfystyr â'r berfenw gydag arddodiad, cf. *gwerth* yn y Gododdin, ac *yng ngwerth* fel amrywiad, megis yn ll. 64 uchod. Golyga hyn nad oes raid treisio *namwyn* i'w gydio wrth *nammui* "only," mewn Hen Gymraeg. Ni thâl ystyr yr olaf, ac ni pherthyn.

Hwylusa hyn y gwaith o esbonio C.A. 48, Guelet a lauanaur en liwet / in *ciuamuin* gal galet : *cyfamwyn* "derbyn, gwrthsefyll," cf. Caesar, B.G. i. 52, 4, Germani celeriter phalange facta *impetus gladiorum exceperunt:* H. 304 (Marwnad Gruffudd) yn lle *bri gyuamwyn* . . . poen oe ddwyn, h.y. o farw Gr. yn lle *"cael* bri," nid oes i'r bardd ond dwyn poen a mawr gŵyn, cf. hefyd ar 20 uchod ; *gwrthfyn* "derbyn," ac *ymwrthfyn* "gwrthsefyll, sustain an attack," h.y. derbyn rhuthr ac ergydion y gelyn. Medrir cymharu'r Ll. *excipere pericula:* a hefyd *excepisse laudem* a ddyfynnir gan Andrews dan y gair.

79 **llifeit,** llifedig, wedi eu hogi, gw. C.A. 131 ar y terfyniad *-eit = -edig.*

llwyr, cf. 92 *yn llwyr,* gw. C.A. 217, yn gyflawn, "completely"; neu cf. Gw. *leir "diwyd.*"

80 **mwyn,** "ore, metal," hefyd "budd, cyfoeth, trysor" ; gw. B. ii. 129 am enghreifftiau. Yma, ar ôl eu gwrhydri hwy, nid oedd waith (na thâl) i feddyg.

gwnaant. Mewn H.G. *guragant* fuasai'r ffurf. Trowyd *gur-* yn *gwn-,* collwyd *-g-* neu *-gh-,* a chafwyd *gwnaant* fel yma ; yna cywasgwyd i *gwnânt.* Yn B.T. 7, 21 (nyt ef *wnafut* wy ryfed vchon) ceir bai'r ysgrifennydd a fethodd a deall ffurf fel *gwnaant.* Isod, 82, ceir *a wnant,* er bod y mesur yn gofyn *a wnaant.*

81 **Katwaladyr.** Dyma un o'r ddau dywysog darogan sydd i waredu'r Cymry ; y llall yw *Kynan,* 89, gw. 91, 163, 182, 184. Enwir y ddau drosodd a throsodd yn yr hen ddaroganau yn Llyfr Taliesin, y Llyfr Du, a'r Llyfr Coch ; ni sonnir byth am Arthur fel gwaredwr.

kadyr, G. 90, "hardd, gwych, grymus," cf. Hen Lyd. *cadr* (V.V.B. 62) gl. ar *decoreo:* Ll. Canol, *cazr* (Ch.Br. 196), yn ddiweddarach *caer* "hardd, gwych." Gwell gennyf Ped. i. 323 ar y tarddiad na Loth a W.G. 185, gan fod yr odl â *Kat-*

waladyr yma, ac yn 163 (cf. 91) yn profi -*dr* ynddo, ac nad oes
modd esbonio hynny wrth gychwyn gyda -*dr*- yn y gair
Celteg, fel y gwnânt hwy. I gael y ffurf **Gymraeg** rhaid tybio
-*atr*- canys rhoesai -*adr*- yn rheolaidd -*aer*.

82 **a wnant.** Darll. *a wnaant* i gael mesur.
83 **lleith,** marwolaeth, gw. 19.

anoleith, gw. B. ii. 130 ; vi. 221. Ystyr *goleith* yw osgoi,
dianc rhág ; gyda'r negydd *an*- "na ellir ei osgoi, unavoidable,
unescapable."

84 **yg gorffen,** cf. 95, ar ddiwedd ; Gw. *hi foirciunn* "at the end,"
glos ar *in fine* St. Gall, 18b.

a wdant, a wyddant.

85 **arosceill,** neu *ar osceill:* ni ddyry G. gyfansawdd gydag
aros yn elfen gyntaf ynddo. Tywyll yw'r ll. i mi.

ry planhassant, cf. *planthonnor*, gl. ar *fodientur* yn Juv.
(V.V.B. 205, am y colledigion) aeternum miseri poena *fodientur*
iniqui. Golyga *fodio* balu a phigo ("to dig, to prick, pierce,
stab," Andrews) nid plannu'n syml. Sylwer bod amser y
ferf yn amrywio ; yma ac yn 83, gorffennol, gyda'r gelynion
yn oddrych, er nad enwir hwy, yn y llinell nesaf, presennol neu
ddyfodol. Cymeraf *ereill* fel gwrthrych ; poenasant (gwan-
asant) eraill ond ni chasglant eu trethau byth bythoedd
mwyach. Gall *arosceill* fod yn ansoddair llu. i ddisgrifio'r
diniwed a boenwyd ganddynt, neu gall fod fel adferf i
ddisgrifio'r modd y blinwyd hwy.

86 **oes oesseu,** cf. Llyfr St. Chad, L.L. xliii, *in ois oisou*—dyma'r
enghraifft hynaf ar glawr. Yn ddiweddarach ceir *yn oes
oesoedd.* Yn y testun nid oes *yn* mwy nag yn *byth bythoedd*.

escorant, cf. B.T. 42, 16, lle gelwir Duw yn *plwyf escori* am
ei fod yn corlannu ei bobl. Nid *esgor* "rhoi genedigaeth"
yw'r meddwl, ond casglu i gorlan, buarth, amddiffynfa, gw.
C.A. 103, ar *ysgor* "caer, buarth" ; Windisch, W. 761–2, Gw.
scor, scorim: Dinneen, *scor* "a paddock or grazing field, a
camp." Felly y deallaf y testun : y trethau yw'r gwartheg
y mae'r gelyn yn eu hawlio, ond ni cheir yr un ohonynt byth
i'w buarthau, cf. M.A. 160a, yn llat esgarant pan *esgores:*
B.T. 62, neu vi a weleis wr yn *buarthaw:* 26, 9, bum yn *yscor*
gan dylan eil mor ; H. 99, hud amnawt hirulawt *hir wen y
ysgor.* Yn y Gododdin, 113, ceir *eidyn ysgor:* yn 1441, *esgor
eidin:* dengys hyn yr amrywio yn yr orgraff.

88 **canhwyll.** Mewn Gwyddeleg ceir *ánchaindel* "a brilliant candle," medd Kuno Meyer, "an epithet for a hero," C.I.L. 96 ; *caindel* "candle" . . . metaph. *a hero*," 303. Yr arwr yma yw Cynan, ll. 89.

tywyll, odli â *canhwyll:* felly *tywŷll* yw'r hen sain, W.G. 47.
genhyn, gw. ar 2.

89 **raewan,** rhuthro ar y blaen mewn ymosodiad, gw. C.A. 82. Ar *disgyn* gw. 16.

90 **Brython,** enw lluosog, gw. G. 81 am yr enghreifftiau yn B.T.
gwae a genyn, gwaeddant "*Gwae* ni !"

91 **paladyr,** bonyn coeden, coes planhigyn, coes gwaywffon. Yma "post cadarn, cynheiliad cryf."

gan y unbyn, gyda'i brif filwyr, ei benaethiaid, gw. 3 uchod.

92 **trwy synhwyr,** gyda doethineb, yn gall. Ar *trwy* mewn cysylltiadau anghyffredin i ni bellach, gw. Gododdin 727, *drwy var:* 874 mal yuet med *drwy chwerthin:* 997, godef gloes angheu *trwy* anghyffret: B.T. 4, 23, meint dyduc duw *trwy* nodet ; 11, 7, ac eryf *trwy alar* ac enynnu *trwy var*, cf. isod 125. Nid yr ystyr arferol sydd yn y rhain.

dichlyn, gw, G, 328, "dewis, dethol," fel berf ; R.C. xlii. 87–8, cyferbynner â Ped. ii. 539–40. Os at yr unbyn y cyfeirir, rhaid derbyn yr ystyr "dewis." Ond a oedd y tywysog yn dewis ei unbyn ? Credaf y ceir gwell synnwyr wrth ddeall *eu* yn y ll. hon fel cyfeiriad at y Saeson yn ll. 90, Saeson yn ocheneidio ; Cadwaladr gyda'i unbyn *yn eu dichlyn* yn llwyr ac yn gyfrwys—dyna rediad y meddwl. Mae enghreifftiau Silvan o'r ail ganrif ar bymtheg ymlaen yn glir o blaid *dichlyn* "dewis." Rhydd *dichlynig* o L.G.C. "assiduous, exact, careful," ond ni rydd y testun. Yn ôl Lloyd-Jones, y mae i'w gydio wrth Hen Wyddeleg *teclaim* (*do-ass-glenn-*) a olyga, medd Pedersen, "dewis." Ond heb y rhagddodiad *do-*, ceir y cyfans. Gw. fel gl. ar *uestigant* olrhain ; *rimari* chwilio, ceisio ; a'r berfenw fel gl. ar *discussionem*, ac *indagine* (gair am ddal bwystfil a gelyn, o *indago* olrhain fel cŵn, ac yna "investigate," chwilio i mewn i beth). Blas felly a glywaf yn y testun ; gair am erlid, chwilio am. O hynny cawsid wedyn "chwilio am y gorau, a'i ddewis."

93 **elas,** G. 143, (1) teulu mynachlog, (2) pobl, gwlad, mintai. Yr ail yw yma, ac yn B.B.C. 57, dit guithlonet kywrug glyu

powis a *chlas guinet*. Daw o'r Ll. *classis*, "byddin, llynges," wedyn "dosbarth."

erchwyn, ochr gwely, cf. C.Ll.H. 40. Disgrifiad yw o'r gelyn yn syrthio mewn poen ar eu gwelyau, wedi ffoi'n glwyfedig o'r frwydr.

94 **custud,** cystudd, caledi, dolur, poen, C.Ll.H. 204 ; C.A. 108. Am y newid rhwng *-y-u* ac *u-u*, cf. isod 108, *cwssyl* (sef *cusyl*) ; 161, *kussul*wyr*:* gw. C.Ll.H. 152, a'r enghreifftiau yno o *cusil, cusyl, cysul, cusul.* Hefyd B. vi. 112, gl. *custnudieticc* yn M.C. ar *confecta.*

a chreu rud ar rud, gwaed coch ar foch (*grudd*). Hoffid chwarae ar ddeuair tebyg eu sŵn a gwahanol eu hystyr.

95 **agreith,** angraith, ffurf a geir yn amrywio ag *anghraifft.* Terddais ef yn B. ii. 44–6 o'r Ll. *increpito* ("to call out to one, to challenge, to blame, rebuke"). Addasach yw "herr" yma na "cherydd." Arwain herr i ymladd, ac yna bydd *anrhaith* "ysbail," a hwnnw yn un *dengyn* (gw. 5), a Sais ar ffo, cf. M.A. 332 a 2, llam drin breenhin *Brynaich angraith.*

96 **ar hynt,** "ar unwaith, yn ddioed," gw. C.A. 312, cf. "away, on the way," a "straightaway."

hyt. Rhy hir yw'r ll. a gall *Gaerwynt* fod yn y cyflwr gwrthrychol i nodi diwedd y daith, cf. C.A. 84, Gwyr a aeth *Ododin :* gwyr a aeth *Gatraeth.* Felly hepgorer *hyt.*

Caerwynt, Cymreigiad o'r enw *Winchester:* o'r hen enw Brythonig *Venta* disgwylid Caer*went.* Ond cf. P.K.M. 145.

kynt pwy kynt. Pan ddyblir ans. gradd gymharol, golyga gynnydd yn yr ansawdd, cf. *mwyfwy* "more *and* more," *gwaeth-waeth* "worse *and* worse." Mewn Llydaweg, cf. *goaz oz goaz,* gwaethwaeth*: muy ouz muy,* mwyfwy ; grym *ouz, oz* yw "wrth," Lewis, Ll.Ll.C.² 14. Pan ddechreuir gyda'r radd gysefin rhoir *i* rhyngddi a'r radd gymharol, o ddrwg *i* waeth. Efallai mai *py* (=Gw. *co* "to") yw'r arddodiad yma = o gynt *i* gynt, h.y. fod y ffoi yn cyflymu fwyfwy o hyd. Cawsid *pwy* trwy gydweddiad â *pwy* gilydd (o *po-e,* yr arddodiad a'r rhagenw mewnol), neu trwy gymysgu â chystrawen "gorau *po* gyntaf," canys gellid *pwy* o *poe,* ffurf pres. dib. 3. un. bod, heddiw *po.* Cf. fodd bynnag, *Hengwrt MSS.* ii. 82 ; B. v. 225, *kynt bwy kynt.*

techyn, "they will flee" ; ar *techu* "ffoi" gw. C.A. 72.

97　**pan adrodynt,** pan ddywedant, gw. C.A. 72—3 ; B.T. 57, lloegrwys ae gwydant *pan ymadrodant.* Rhoir yr hyn a ddywedant yn 98, ac efallai ymlaen. Ni chyfrif *wy* yn y mesur.

98　**ryngwarawt,** *ry,* geiryn perffeithiol: *n* rhagenw 1af. llu. ; *gwarawt,* perffaith 3ydd. un. *gwaredaf,* "fe'n gwaredodd."

　　y trindawt. Nid oes angen *y,* cf. 41.

　　or, gall fod yn fai am *o'n* "o ein," gan mor debyg hen *n* ac *r.*

99　**Dyfet,** Penfro, neu dde-orllewin Cymru, gw. Lloyd, H.W. 261 ; Phillimore, *Cy.* xi. 56–7, ar y terfynau'n fanylach.

　　Glywyssyg, Glywysing, de-ddwyrain Cymru, o Ddyfed i Fynwy, neu fel y dywed Syr John Lloyd, H.W. 273 (gw. n. 254) y wlad rhwng Tawe ac Wysg ; nid yw'n sicr a oedd Gwent i mewn ai peidio. Buasai Dyfed a Glywysing gyda'i gilydd yn golygu'n fras Ddeheudir Cymru.

100　**nys.** Pa rym sydd i -*s* yma ? Gall fod yn rhagenw mewnol lluosog, cyflwr derbyn, cf. 170, deu arth *nys gwna gwarth kyfarth* beunyd, "ni wna cyfarth warth *iddynt.*"

　　gwnaho, pres. dib. 3. un. *gwneuthur*=gwnêl, cf. B. T. 10, 27, Sadwrn vore rwyd, yn *gwnaho* ny culwyd. Gall yr ystyr fod yn ddyfodol neu ddymuniadol.

101　**cynhoryon,** prif filwyr, "champions," yr ymladdwyr yn y *cynnor,* y rhestr flaenaf o'r fyddin, C.A. 69.

　　keffyn, cf. 103, G. 94. Ffurf amwys : pres. neu dyf. 3. llu. *cael, caffael,* neu ynteu'r amherff. dib. Neu, cymerer yma fel llu. *keffei,* C.A. 130, "er eu bod."

　　ebryn, cf. B.T. 11, 1 (am ddydd y Farn) *ebryn* pob dyhed pan losco mynyded ; 75, 25, Vch o vor vch o vynyd, Vch o vor ynyal *ebryn,* coet maes tyno a bryn. Ansicr wyf o'i ystyr. Deil Loth, R.C. xxxii. 302–3, mai "llyfn, gwastad, di-fryniau" yw ; a'i darddu o *ek-* a *bryn,* gan gymharu *egwan, eglur.* Ni fedraf weld sut y gall *k* ddiflannu mor llwyr o flaen *b.* Oni chaid *egfryn* ? Nid "heb lan" chwaith yw *eglan,* ac nid cryf yw *egwan* ond gwan iawn. Os *bryn* sydd yn y gair, gellid *ebryn* o *ad-bryn,* fel y cafwyd *aber* o *ad-ber.* Rhydd -*db*- i ddechrau -*p*-, yna treiglir i -*b*-. Troir *a* yn *e* o flaen *y.* Ond beth am yr ystyr ? Cryfhau y mae *ad* (cf. *add*-fwyn), nid negyddu. Ceir *eb*- "march" yn *eb*-awl, *ebran, ebodn* "baw ceffyl" (efallai yn *eb*-rwydd), ac y mae *rhyn* a olyga ucheldir, a *gryn* "gwthio." Heblaw hyn, ceir *ebr* yn *dadebru*, adfywio, "revive, refresh," cf. B.T. 47, 16 (am Dduw) byt *adebryat* (adeibriad) yr un sy'n bywiocáu byd.

Os caf ddeall *keffyn* fel "though they be," cynigiaf mai ans. yw *ebryn* o *rhynn* "gerwin, ffyrnig," (C.A. 93), gydag *eb-* yn cryfhau fel yn *eb-rwydd*.

102	**medut,** gw. C.A. 168, enw o *meddu* "mwynhau." Ni wna medd-dod unrhyw fwyniant neu hyfrydwch iddynt.

genhyn, gw. 2. Yma "ar ein cost ni."

103	**talet,** berfenw yn *-et*, fel *gweled, clywed, myned:* cf. 52.

o dynget, cf. *o raid.* Ni allant osgoi'r gosb a rydd Tynged arnynt.

meint a geffyn. Y cwbl a gânt neu a gaent ; cf. C.A. 71 ac isod 171.

104	**o ymdifeit veibon.** Cymerer gyda *talet,* cf. C.A. 55, vyg werth y a wnaethant / *o* eur pur.

ryn, gw. C.A. 92–3. Byddai rhai o'u meibion yn amddifaid ac eraill yn *rhynn.* O amryfal ystyron y gair, bôn y ferf *rhynnu* sydd addasaf yma, "wedi rhynnu, starved with cold." Defnyddir bôn berf fel rhangymeriad gorffennol goddefol.

105	**Dewi,** cf. 51.

Prydeyn, bai am *Prydyn,* y ffurf sy'n odli yma, er mai *Prydain* yw'r ystyr, gw. ar 10.

106	**ffrwt ailego.** Darllen J.G.E. *arlego,* ond ni welaf ond *i,* er bod y fachell a'i try yn *r,* efallai, wedi ei chwanegu ar draws yr *l,* eithr yn uchel i fyny. Yn ei nodyn, B.T. 85, dywed ef fel hyn : "*Port-law* (Waterford) on the Suir was called 'Port ar Lairgus' (Strachan)," ac â ymlaen i restru ffurfiau ar *Port Lairge, porth larg, p. larc.* Dyry Hogan, *Onom.* 564, P. *láirce,* gyda'r amr. *Largi, Large,* etc. Nid oes yr un yn debyg i *ailego* nac *arlego.* Hefyd nid *Port* yw *ffrwt* ond "afon."

Isod 149, Dybi *olego* lyghes, rhaid darll. *o lego,* cf. 151, Dybi *o alclut,* 153, *o lydaw.* Rhwystra hyn i ni ddarll. *Allego* yn y testun i gyseinio ag *Allmyn,* ac eto gofyn y mesur am sill o flaen *lego* yma, ac nid oes angen un yn 149.

Hefyd nid i Iwerddon y disgwylid i'r Saeson ffoi, ond i eithafion Lloegr neu i'r Cyfandir, fel yn 7, hyt *Gaer Weir* (sef Durham) gwasgarawt Allmyn. Dyry Holder, i. 90, 95, *Aleeco* (*Vico*) o arian Merofingaidd = St. Malo (hefyd *Alleco* (*vico*) = *Aleto* !). Ni wn sut y gellid cadw'r *-o* yn y ffurf

Gymraeg, hyd yn oed petasai Holder yn sicrach o'i ffurf. Sut
bynnag, anodd gweld synnwyr yn *ffrwt ar* ac enw lle, gw. eto
ar 149.

ffohawr allan. Bai yw *allan* am *allmyn* fel y dengys yr odlau.
Berf gyflawn yw ffoi bellach, "flee," nid "put to flight," ond
cf. B.B.C. 5, Llyaus ban brivher, llyaus ban *foher.*

108 **dyffo,** pres. dib. 3. un. *dyfod.*

Iwys, gwŷr Wessex, cf. 181, *Iwis.* Gelwir Alfred yn R.B.B.
280 yn Alvryt urenhin *Iwys:* Ann. Camb. 900, Albrit rex
giuoys: nodyn Phillimore "King of the *Gewissi,* i.e. of Wessex."
Yn Achau Alfred dyry Asser (M.H.B. 468), Elesa, qui fuit
Gewis, a quo Britones totam illam gentem *Gegwis* nominant
(cf. ibid. 302, *Giwis:* 305, *Gewis,* yn yr *Anglo-Sax. Chron.*) ;
B. iv. 14 (darogan) Eigil, *ywuys* lloegruis keint (=vii. 27,
Eingl, *iwrys* (!) Lloegrwys, Caint) ; B.T. 79, 8, Brythonic yn
iwis dydyrchefis. Digon yw tystiolaeth Asser i brofi'r ystyr
yn amser yr Armes.

vn gwssyl, cf. 161, *kussul*wyr ; 165, *kussyl* (odlir fel yma
gydag *-yd(d)* ac *yr*) ; V.V.B. 92, Ox. 1, *cusil:* C.A. 80, *o gussyl:*
G. 188. Yn ddiweddarach troes yn *cusul, cysul,* gw. C.Ll.H.
152. Yr ystyr yw "cyngor," a daw o'r Ll. *consilium.*

109 **vn cor vn gyghor,** gw. ar 48. Pentyrrir y geiriau cyfystyr
i ddangos unfrydedd llwyr.

a Lloegyr lloscit. Dengys yr odl mai hen org. yw *-it* yma
am *-id, -ydd.* Cynnig T. Jones, B. x. 134, ddiwygio ymhellach
i *luossit* gan gymharu *lluossit* yn B.B.C. 66, a darllen *Lloegyr
luossydd* fel "byddinoedd, lluoedd Lloegr," gyda'r dibynnair
gyntaf, trefn go gyffredin mewn hengerdd. Rhydd hyn
ystyr dda, ac ni olyga newid fawr ddim ar y llythrennau :
cedwir hefyd hen gystrawen. Ond collir cyseinedd lawn
y ddwy *ll-:* a bydd pum sill ar ôl y bwlch yn y llinell. Pedair
sydd mewn dros wyth ugain o'r llinellau, a phump mewn rhyw
ddeg ar hugain. Gan y gall *llosgydd* fod yn ansoddair i ddis-
grifio *Lloegr,* nid oes raid newid i gael synnwyr. Pwysleisir
arfer gwŷr Lloegr o losgi eiddo'r Cymry ; ceir y llysenw
fflamddwyn ar un ohonynt yng nghanu Taliesin.

a, yr arddodiad "with," nid y cysylltiad. Yn B. iv. 14,
enwir Eingl, Iwys, Lloegrwys a Chaint fel petaent yn rhannau
o'r genedl Seisnig. Hysbys yw'r lleill, ond pwy yw'r Lloegr-
wys ? Onid gwŷr Mercia ? Nid yw Sieffre mewn bri mawr fel

ieithegydd na hanesydd, ond yr oedd yn byw yn nes i'r hen gyfnod na ni, ac yn gasglwr traddodiadau : felly cymerer am ei werth y sylw yn y Brut (R.B.B. 60) fod *Locrinus* yn deyrn ar y rhan berfedd (neu ganol) o'r ynys, "yr hon a elwit *Lloeger* oe enw ef." Ni raid credu yn *Locrinus*, ond etyb y berfedd- wlad Seisnig yn burion i Loegrwys y testun. Nid oedd North- umbria ar ffin Cymru yn 930 ; ond yr oedd Mercia a Wessex. Lloegrwys oedd y gelynion a ymosodai ar Gynddylan yn Amwythig (C.Ll.H. 35)—gwŷr Mercia yn ddiau. Eto cofier mai Lloegrwys oedd un enw ar elynion y Gododdin ac Urien Rheged, fel nad doeth yw cyfyngu'r enw yn rhy bendant : gallai gynnwys y gogledd neu ran ohono. Serch hynny, gan i Loegr ddyfod yn enw cyffredinol ar y rhan Seisnig o'r ynys, teg yw chwilio am ei gychwyn ar ororau Cymru.

110 **anneiraw,** gw. 53 ; G. 30 "enllibio, athrodi ; dwyn gwarth ar." Sylwer ar hyd y llinell, dau chwech, fel yn 42.

prydaw (cf. 153, *p. gyweithyd:* 178, *kadyr gyweithyd*). Daw o *pryd* "llun, ffurf, harddwch," fel ans. "hardd" (cf. Ll. *forma* a *formosus,* "llun" a "lluniaidd"). Ceir y terf. *-aw* eto yn 115, *gaflaw,* cf. *Llydaw, Manaw:* neu ynteu C.A. 264.

111 **a cherd.** Nid oes cyswllt â'r ll. o'r blaen, ond o bell â 107 ; haws credu bod ll. ar goll a ddaroganai mai croes i obaith Iwys y try pethau, gorfoledd i Gymro, *a cherdd* ar allfro.

cerd. Nid cân ond bôn *cerdded,* gw. C.A. 368 ; Llyd. *kerz:* Hen Gern. *cerd* (gl. ar Ll. *iter*) ; Cern. *kerth* (A.C.L. i. 107). Am *cerd ar,* cf. P.K.M. 12, 128, a pha *gerdet* yssyd *arnat* ti ?

aralluro: darll. *ar alluro* yma, er bod *arallfro* mewn testunau eraill (G. 35) am fod *ar* yn cyflawni ystyr *cerd* (fel pe dywedid symudiad *ar* Saeson, am Saeson *ar gerdded,* "on the move").

alluro, un o fro arall, estron, cf. *all*-tud ; Galeg *Allo-brog-es:* gwrthgyferbynner â *Cymro,* o'r un fro.

112 **kud.** Ar *cudd,* ymguddfan, gw. G. 184 : yma darll. (gyda G. 188) *cwdd,* ffurf ar *cw* (*cwd*) a olygai "Ple ?", fel yn nes ymlaen yn y llinell, cf. 135, 136, *cw mae:* B.B.C. 88, merwerit mor, *Cv* threia, *cud* echwit . . . redecauc duwyr echwit. *Cv da, cvd ymda. Cv* treigil, *cv* threwna. *Pa hid* a. Nev *cud*vit. Yn ôl orgraff arferol B.B.C. rhaid darllen *cw da cwd ymda,* ond rhydd J. Ll.-J. amryw enghreifftiau sicr o *cwdd,* gw. hefyd W.G. 291, 293 ; Walde ar Ll. *ubi,* etc.

ymda, gw. C.Ll.H. 211 ar *gorymda:* Lewis, H.G.Cr. 134 ar *ymddaith* (B.B.C. 22, *imteith,* pers. 1af. gorff. cyfans. o *a-af,* âf), Lewis-Pedersen, 296–7 ; 335 ; G. 106 ar *canhymddeith:* cf. D. *canymdaith* comitari : *canymdoi* comitari, protegere . . . à *can, ym* et *toi.* Mi ath ganym*doaf* à dengmil o wyr, Brut. y T. Y llewod a'i can*ymdoynt* trwy'r ynialwch.

113   **dychyrchwynt,** dyfodol o *dychyrchu,* bydd iddynt wynebu, neu ruthro i frwydr.

cyfarth, gw. C.A. 259, P.K.M. 237, G. 203, *Trans. Anglesey Antiq. Soc.,* 1923, td. 52 ar Llas arth yn y *gyfarthfa* (cyfeiriad at ladd Hywel ab Owain Gwynedd ym mrwydr). Gair hela yw i ddechrau, am anifail yn herio'r cŵn, a'r rheini'n cyfarth o'i gwmpas (S. "stand at *bay*") : yna am ryfelwyr yn "sefyll eu tir" yn gyffelyb : wedyn "brwydr."

114   **talu gwynyeith,** dial, gw. *Y Beirniad* iv. 65–6 ; C.A. 86. Ystyr *gwynnyeith* mewn brwydr yw "dial, lladdfa," ond pan sonnir am saint "gwyrth." Cf. *talu'r pwyth* "pay back."

hennyd, cf. 122, 154, 177, 187 ; gw. B. iv. 339, C.A. 100, y llall, "fellow, companion : opponent" ; Llyd. *hentez,* Cern. *hynse.* Defnyddir *cilydd* yn gyffelyb am gydymaith ac am elyn, cf. isod 116.

115   **atvi,** "bydd," dyf. 3ydd. un. *atfod,* G. 46.

peleitral, cf. *peleidryal* yn y Gododdin, 911 (er mai bai am *peleidryat* yw yno efallai). Ar **paladr,** gw. 91 uchod. Digwydd -*al, ial,* mewn amryfal eiriau. Weithiau tr. yw o *gal* (cf. *dial, arial,* Gw. *digal, argal*) ; weithiau terf. berfenw (gw. W.G. 392, enghreifftiau diweddar, a chywirer wrth Loth, R.C. xxxvii. 49) fel mewn Llydaweg (cf. C.A. 243, 366, *ysgynnyal, disgynnyal*) ; weithiau etyb yn well i'r terf. Galeg -*ialos, -ialum,* Holder, ii. 7 (er bod angen cywiro'r nodyn yno), enw Cwmwd *Iâl* ym Mhowys, *anial, ynial: Pennal, Penial:* sylwer hefyd ar yr ans. *ial* yn D.G. lxxvii. 17, Rhydain iwrch, rhedai yn *ial* (h.y. yn wyllt ; cf. y cwpled o'r blaen, rhywyllt ei rhuthr . . . rhy fuan hynt). Ond cymerai ormod o ofod i drin y cyfan, gan fod cryn anhawster i ddosbarthu a dehongli rhai geiriau.

Yma y mae'r ffurf *peleitral* yn tybio y chwanegwyd -*al* at y llu. *peleidr,* neu ynteu mai -*ial* yw'r terf. a bod yr *i* gytsain wedi affeithio y sill o'i blaen yn *paladr.* Ymddengys i mi,

gan mai erfyn milwrol yw paladr yn y testun, fod yn well i ni
gymryd *peleidr(i)al* gyda *cleddyfal*, ergyd â chleddyf, gw. G.
145, C.A. 153. Sonnir am gleddyfal am ben, cleddyfal ar
drwyn, etc. Rhaid ei fod yn gyfystyr â *cleddyfawd* mewn
brawddegau o'r fath, cf. hefyd H. 88, krynei uaes carnet rac
carnnyal y ueirch (er nad oes affeithiad yno) sy'n agos iawn i
"hoof-beats," neu'n well i ferfenw am drawiad y carnau ar y
ddaear (gw. G.113, *carnyal* "sathr, sarnu, pystylad"). I aros
trafodaeth lawnach cynigiaf fod *peleitral* yn golygu trywanu
â gwaywffyn, brwydro â gwewyr.

dyfal, gw. C.A. 153, lle ceir *dywal* ddwywaith gyda cleddyfal ;
anodd gwahaniaethu mewn hen org. rhwng *dyfal* a *dywal* (gan
fod *u* weithiau = *w*, bryd arall = *f:* a bod *w* yr un modd
yn sefyll am *w* ac *f*). Gwyddys hefyd fod *w* ac *f* yn ymgyf-
newid. Ystyr *dyfal* yw diorffwys, angerddol, o ddifri ; *dywal,*
dewr, glew, ffyrnig, gw. C.Ll.H. 76, 144 ; C.A. 171.

dillyd (cf. isod 158, *dyllid*), G. 356, "llifo, arllwys, tywallt,"
cf. R.P. 15 a 5, *dillyd* dwfyr o ffynnawn, B.T. 21, 24 ; 47, 13,
parth pan d. nilus (sef yr Aifft). Cyfeirir at y gwaewffyn
a arllwysir ar y gelyn, nid yn gawodydd ond yn *llifeiriant
dibaid* (gan gymryd *dyfal* gyda *dillydd*, nid â *peleitral*).

116 **arbettwy,** dyf. 3ydd. un. *arbed.*

y gilyd, gw. 114, *hennyd.*

117 **pen gaflaw,** pen wedi ei hollti, "split open." Ystyr *gaflaw*
yw "fforchedig," o *gafl* "fforch," a'r terf. ans. *-aw*, cf. 110,
pryd-aw. Yn B.T. 70, 3 (am *ryaflaw* hallt am hydyruer mor)
cyfeirir at y môr hallt, a'i *hollti* neu ei *rwygo* gan longau ; cf.
hefyd V.V.B. 128, M.C. *fistl gablau,* gl. ar *fistula bilatrix* (yn
y llsg. *bilatris*). Am *carnaflaw, carnaflawc,* enw march,
gw. G. 113 (y naill enw yn esbonio'r llall), P. 16, 53, A chethin
carnavlaw: M.A. 306 b 20, un rhediad *carn aflaw:* B.B.C. 27,
Carnawlauc march Owein mab urien ; B.T. 23, llyffan du
gaflaw. Arferir *gaflaw* hefyd am fath o bysgodyn (D. salar,
species salmonis) ; *gaflawec,* rhwyd i'w ddal.

118 **gweilyd,** D. "vacuus, inanis," am lw. Arferir *gweili* yng
Ngwynedd am farch yn dychwelyd *yn weili*, heb drol, heb
aradr, neu heb lwyth. Yn ôl A.L. i. 784, y mae tri lle na
ddyliai dyn roi *llw gweilydd* ynddynt, sef pont o un pren
heb ganllaw iddi, porth y fynwent, canys canu'r Pader a

ddyliai yno "rac Cristonogyon y byt," a drws yr eglwys.
Yma golyga llw g., lw anystyriol, difeddwl, dibwrpas (nid
oath of an absolver fel y cyfieithir ef yn A.L.). Mewn brwydr
march gweilydd yw un wedi colli ei farchog, "a riderless horse" ;
cf. M.A. 141a, Ni chronnai na seirch na meirch g. ; h.y. ni
chadwai arfau heb neb i'w gwisgo na meirch heb neb i'w
marchogaeth.

119   **obein,** bai am *vbein* "nadu, llefain," D. "clamitare, ejulare" ;
M.A. 271b (am uffern) a phawb yn *ubain* a phawb yn germain
a phawb yn llefain nas lladd angeu; R.P. 29 a 30, yn y mae
ubein, yn y mae *lleuein:* D.W.S. *ubain* "shoute." Wrth
ddarllen *ubein* ceir cyseinedd lafarog ag *uthyr*.

   ketwyr, rhyfelwyr. Sylwer ar yr odl Wyddelig *-yr, -ydd*.

120   **llaw amhar,** ans. cyfans. i ddisgrifio'r *lliaws*, o *llaw* "hand"
ac *amhar*, bôn *amharu* "niweidio" ; felly rhai wedi eu clwyfo
yn eu dwylaw neu ynteu *â dwylaw*.   Neu, cf. *llaw* "isel, bychan,"
gw. ar 68 uchod, lliaws *truan clwyfedig*.

121   **kennadeu agheu,** cf. H. 38, kyn dyuot kyunod ny kyfnerth-
rwyt / *kennadeu agheu* yn gyuarwyt.   Angau yn anfon ei
genhadau amdanom, i'n harwain at ei orsedd.

   dychyferwyd, nid "cyfarwydd" fel yn H. 38 ; ond *w* am *f*,
cf. R.P. 17 b 39, Arth or deheu. kyuyt ynteu. *dychyferuyd* /
lloegyrwys lledi afriuedi o bowyssyd. Dengys yr odl yno
mai *-fydd* yw'r sill olaf, nid *-wydd*, cf. hefyd R.P. 21, 6,
dychyveruyd trwch *a* thrin. Ai yr un *a* sydd o flaen *lliaws*
yn y ll. o'r blaen ? Bydd cenhadau Angau yn cyrchu lliaws
o'r clwyfedigion cyn diwedd y frwydr.

122   **calaned,** llu. *celain*, gw. C.A. 132. Treiglir y goddrych ar
ôl berf luosog yn yr hen gystrawen hon.

   hennyd, gw. 114. Mor dynn fydd gwasgfa'r frwydr na bydd
lle i'r meirw syrthio, a bydd meirw yn cynnal meirw ! Ail
adroddir y ll. yn 187 isod.

123   **dialawr,** dielir. Yn y llsgr. rhoddwyd marciau trawsosod
uwchben *y* yn *y treth* a'r *a* sy'n dilyn. Os darllenir yn ôl y
cyfarwyddyd, ceir *Ef dialawr ar gwerth y treth beunyd*. Ni
ddangosid y treigliadau yn y gwreiddiol, mae'n amlwg, a
gallwn ddarllen *arwerth y dreth*. Ar *arwerthu* gw. G. 43. Yn y
lladdfa fawr, bydd y dial arnynt yn ddigon o dâl am y dreth
a'r mynych genhadau (i'w chyrchu), a'r llu celwyddog o
drethwyr. Temtir fi i ddarllen *ef talawr* yn lle *ef dialawr*.

Efallai fod *treth* yn fath o odl â *gwerth* gan y bardd hwn,
cf. hefyd B. iv. 47, lle'r odlir *elyrch, gwrych, gwrthrych.* Os
odl *elyrch, gwrych,* odl hefyd *gwerth, treth.* Ond y mae *treith* yn
ymgynnig fel posibilrwydd, ac yn werth ei ystyried. Sylwer
mai *tretheu* sydd yn 21, 72, 86, nid *treth* unigol.

treth. Mewn hen org. gall hyn fod am *treith,* ac atgoffa
hwnnw Llyd. Canol *treiz* am groesi afon neu gulfor. Dyry
Loth, Ch. Br. 235, *Kaer en treth* fel ffurf 1237 o *Kerantreiz* 1572,
a dywed mai *traez* oedd Llyd. C. am "sable, plage" (*traeth* yn
Gymraeg), a *treiz* "passage." Am yr olaf tybia ei fod yn
cyfateb i *treth* yn Gymraeg, ac mai ystyr gyntaf hwnnw oedd
"toll," neu'r tâl am groesi. Cyfeiria at Zeuss, G.C.[2] 156,
sy'n petruso rhwng Ll. *tractus* a *traiectus* fel tarddiad posibl i
traeth (gw. C.A. xxxiii). Mewn nodyn cyfeiria at Beda, H.E. v.
12 (bai am 11), Uiltaburg . . . lingua autem Gallica *Trajectum*
vocatur (M.H.B. 259, sef *Utrecht*) ; ac at Iter. Ant. *Trajectus*
ym Mhrydain ar y ffordd o *Venta Silurum* (Caerwent) i *Aquis
Solis* (Bath). Ystyr y Ll. *trājectus* yw "a crossing or passing
over, passage." Daw Loth yn ôl at yr un broblem yn R.C. xl.
425–6. Ni welaf fod modd i *treth* ddod o'r un fan a *traith,*
ond petasai *treth* yn y testun yn hen orgraff am *treith,* gan fod
treiz yn digwydd mewn Llydaweg Canol, ac yn ffurf a gyfetyb
i *treith* yn rheolaidd, mae'n werth ystyried y dichon bod
cyfeiriad yn y llinell hon at groesi Wy neu Hafren, a'r tâl am
hynny.

I odli â treith, pes derbynnid prin bod angen darll.
gweith "brwydr" yn lle *gwerth.* Os cedwir *gwerth,* un o'i
ystyron yw "tâl," cf. D.G.G. 85, Pell yw i'm bryd obrwyaw /
Llatai drud i'w llety draw / Na rhoi *gwerth* i wrach . . . er
llateirwydd ; Llan. 2. 226, yr *gwertheu* a *gobreu* "bribes."

125 **dygorfu.** Mae'r *d* yn brif-lythyren yn y llsgr. fel pe dech-
reuai awdl newydd, ond ni newidir yr odl hyd ll. 127. Nid
yw'r amser gorffennol yn taro'n addas mewn darogan. Gwell
yma ac yn 127 ddarllen *dygorfi* neu *dygoryw.* Os *diguorui*
oedd yn y gwreiddiol, goddef y naill ddarlleniad a'r llall.
Yn ll. 12 ceir yr un ferf, yn y pres. 3. lluosog. Dilynir *gorfu*
gan *i* pan olyga "bu raid," a cheir *y* (= *i*) yn 127, ond nid yma.
Os berf yn yr amser presennol neu ddyfodol sydd gywir, heb *i*,
yr ystyr debycaf yw y bydd y Cymry yn y frwydr yn hollol
unfryd, neu eu bod yn unfryd i fynd i frwydr.

trwy kyfergyr. Ar *trwy* mewn ystyr anarferol, gw. 92, Ar *kyfergyr*, gw. P.K.M. 289 ; G. 208, "brwydr, ymladd, ymryson." Ni ddangosir y treigliad yma eto.

126 **cyweir,** am filwyr a meirch "parod, gyda'u holl arfau" ; am offeryn cerdd "mewn cynghanedd," gw. B. iii. 55–6, ar Gw. *côir* fel cytras : G. 271, amryw ystyron, cf. B.T. 73, 2, Deu lu yd ant bydant gysson, yn vn redyf vn eir *kyweir* kymon ; B.B.C. 26, 5, Myn y mae kertorion *in kyweir kysson:* Hen Gymraeg, *int couer*, B. vi. 223–4, "mewn trefn berffaith" ; P.K.M. 107, -24, -31, 269. Pentyrrir cyfystyron fel yn 48, 108–9.

127 **dygorfu,** gw. ar 125. Yma, gydag *y*, gall olygu y bydd raid i'r Cymry roi cad ar faes. Wrth ddarll. *dygorfi* ceir odl fewnol â *peri.*

     kat, odl gyrch â *gwlat* yn ll. 128.

128 **llwyth,** yma "llu, pobl," cf. B.T. 11, Pan dyffo trindawt llu nef ymdanaw, *llwyth* llydan attaw ; 33, 17, an nothwy rac gwyth *llwyth* agh[ym]es ; Windisch, W. 671, Gw. *lucht.* Gyda *lliaws* cf. B.T. 78, 20, *llwyth lliaws* anuaws eu henwerys.

129 **lluman,** gw. 59. Diddorol yw'r cyfeiriad at luman Dewi yn arwain byddinoedd y Cymry.

130 **tywyssaw,** arwain ar y blaen, gw. C.A. 282–3.
     Gwydyl, gw. 10.
     llieingant. Ar *cant* "cylch, ymyl, pared," gw. G. 109 ; B. vi. 352–3.

131 **gynhon,** llu. *gynt*, cytras Ll. *gens, gent*-is "llwyth." Arferir ef am y cenhedloedd paganaidd a flinai'r Cymry, gw. 176, *gynhon Saesson:* 183 ; C.A. 8 (197), gogyuerchi *ynhon deivyr:* B. iv. 47, kad kyffylad ar *Saesson* / gwall . . . uu arvoll ar *kynhon* (vii. 26, arfoll ar *gynhon:* cyfeiriad at waith Gwrtheyrn yn rhoi croeso i'r Saeson ar y cychwyn) ; Cy. ix. 165, A.C. 850, Cinnen a *gentilibus* iugulatur ; 853, Mon uastata a *gentilibus nigris:* 866, Vrbs ebrauc uastata est id est cat *dub gint:* Brut y Tywyssogyon, R.B.B. 259, Ac y tagwyt kyngen y gan y *genedloed.* Ac y diffeithwyt Mon y gan y *kenedloed duon.* . . . Ac y diffeithwyt kaer efrawc ygkat *dubkynt.* Am *gint* mewn Hen Gymraeg mewn enw pers., gw. L.L. 32, *Bledgint*, Bleddyn(t).

     Dulyn, gw. 8.
7*

132   **dyffont,** dyf. 3ydd. llu. o *dyfod* "deuant."

      nyt ymwadant. Yn ôl D. "abnegare, renunciare" ; ar y
cyntaf rhydd T.W. "gwadu, ymwadu, gwrthod, gommedd."
Er bod yr ystyr Feiblaidd yn hysbys i'r ddau, cadwant ystyr
hŷn.   Yn y testun, pwysleisir parodrwydd y Gwyddyl i sefyll
yn ffyddlon gyda'r Cymry, a mynd i'r frwydr gyda hwy, h.y. ni
thorrant eu cytundeb a throi cefn, gw. hanes Gruff. ap Cynan
a'i helynt ef gyda'r Gwyddyl a gwŷr Llychlyn ; bradychasant
ef yn nydd y frwydr, pan gynigiwyd cyflog g'well gan y gelyn,
H.G.C. 122, 144, 148.

133   **py,** pa beth, gw. W.G. 290 am enghreifftiau cyffelyb o *pa,
py:* a Lewis, *Llawlyfr Llyd. Canol,* 27, ar y Llyd. *pe* "pa
beth ?"

134   **pwy meint,** gw. W.G. 289, ar *pwy* gydag enw "what is" ;
gall fod, meddir, am *py* ac *wy,* ffurf hŷn ar *yw.*

      dylyet, mewn ystyr fel Gw. *dliged* "law, duty, right," nid
fel Cymraeg Diweddar "debt."   Gellid darll. yma *o dylyet,*
a chymharu 138, *o wir.*   Pe felly, cydier *pwy meint* ag *or wlat,*
"How much of the country do they hold *by right* ?"

135   **cw,** gw. 112.

      herw, D. "fugio, profugium," gw. ar *herwa* P.K.M. 247 ;
herwr "ysbeiliwr, outlaw" ; *herwlong* "llong môr-leidr, pirate-
ship."   Un ystyr i *ar herw* yw "ar grwydr," Parry, *Theater
du Mond,* 62, morvvyr . . . yn oystad megis raideisiaid beunydd
ar hervv: (marsiandwyr yn gyffelyb) 67, ag yr ydys y' tybied
nad oes dim rhagor rhvvngthynt a *hervvyr,* ond bod i *hervvaeth*
ynthvvy oi bodd ai evvyllys i hunain ; 99, 100. Mewn
Gwyddeleg ceir *serb* "theft, felony."   Yn y testun, gellid
deall fel "Ple mae eu *crwydr* ?"   Ond rhy fer o sill yw'r ll.
a chynigiaf ddarllen *eu herwi,* llu. *erw,* "acre" ; yma am dir
yn gyffredinol.   Y cwestiwn cyntaf yw, Ple mae eu tiroedd,
eu treftad ?   Yna, Ple mae eu cenedl ?   O ba fro y daethant ?

      pan.   Ceir tair ystyr : "pryd," "pa le," ac yn anamlach
"y" fel cysylltiad ("when, whence, thence, that").

      seilyassant.   Dyry D. *sail* "fundamentum, solum": *seilio,*
"fundare" ; sef *sail, seilio* yr iaith gyffredin.   Credaf fod
ystyr arall i *seil-,* cf. B.T. 5, 19, dan syr seint *ryseilwys:*
12, 22, Crist iessu uchel *ryseilas* trycha mil blwydyned er
pan yttiw ymbuched ; 28, 14, Agheu *seilyawc* ym pop gwlat

ys rannawc ; M.A. 274a, Ath folaf Duw naf . . . Pwy nith
fawl a ry *seilych:* 144b, Gnawd wedi ryserch *ryseiliaw* cas.
Terddir *sail* yn gyffredin o'r Ll. *solea* "gwadn esgid" ; tebycach
yw ei ystyr i'r Ll. *solum* ; gwaelod, llawr, sylfaen (o'r un gwr.
â *solea*). Os gair Celtig yw, cf. y gwr. *st(h)el-* a welir yn y
Gr. *stello* "set, place, furnish, equip" (am long neu fyddin) ;
to start, set forth ; *stolos* "equipment, army, fleet ; stalk,
stem." Efallai bod deuair, un yn fenthyg o'r Lladin a'r llall
yn gysefin : rhaid ystyried pob enghraifft ar ei phen ei hun.
Efallai mai *sel* sydd i'w ddarllen weithiau, cf. C.A. 366, *dy sel:*
H.G.C. 110, *dygosel.*

Yn y testun ymddengys y gellid cyfieithu "P'le mae eu tir-
oedd y cychwynasant ohonynt ?"

136 **py vro,** pa fro, cf. Gododdin, 19. Yna daw *pan* "whence,"
fel yn 135, pa fro y daethant *ohoni.*

137 **yr amser Gwrtheyrn,** gw. Nennius, *Historia Brittonum,* am
yr hanesion a ddywedid amdano yng Nghymru yn niwedd yr
wythfed ganrif. Testun dadl yw blwyddyn dyfodiad y Saeson
i Brydain, a'r union adeg y croesawyd Hengyst a Horsa gan
Wrtheyrn yn y bumed ganrif, gw. uchod 27.

138 **o wir,** cf. 134, 145. Nid "truth" yw yma ond "right," hawl
gyfreithiol, neu gyfraith ; cf. B.B.C. 59, 14 ; 62, 5 ; 65, 2 ;
66, 15, gur oet hvnnv *guir* y neb ny rotes (h.y. ni roes ei hawl
i fyny i neb) ; 103, 7 (Madawg ab Maredudd o Bowys) hydir
y *wir* ar Saesson ; L.L. 120 (Braint Teilo), dyuot brennhin
morcannhuc y gundy teliau yn lann taf dy [= *i*] gwnethur
guir ha cyfreith: Llyfr St. Chad, L.L. xliii, diprotant gener
tutri o *guir* ("of his right") ; M.A. 192 a 27 ; 238 a 24, Perchen
gwir a thir a theyrnged ; 248 b 31, Kedwis *gwir* y dir ae
deyrnged ; 249 b, Llwytyd *gwir* a thir yn y threfad ; A.L. i.
542, Pwy bynnac a holho tir eglwyssic . . . agoret vyd *gwir*
idaw pan y mynho (ond cf. Williams-Powell, *Llyfr Blegywryd,*
130, kany allo *gwir* a *chyfreith* kytgerdet ym pob lle, kyt
kytgerdont yn vynych). Gydag *o,* cf. M.A. 186a, Ny thelir
o wir . . . ebediw gwr briw . . . yn dyt brwydyr rac bron y
arglwyt, "by right."

rantir. Yn y gyfraith, "a measure of land containing 16
acres," G.M.L. 257 ; ond yn gyffredinol, D. "pars haeriditaria,
sors" ; felly yma, "treftad," y tir sydd yn rhan i'r *carant.*

an karant, ein ceraint, gw. G. 110, *câr* "perthynas, cyfaill" ;
llu. *carant* ac yna trwy gydweddiad *ceraint.* Y Gwyddyl
sy'n llefaru'r geiriau hyn.

139 **pyr,** paham, cf. 140, gw. nodyn Lewis, H.G.C., 127–9.

140 **reitheu,** gw. 19.

141 **ymgetwynt Gymry.** Y goddrych yw *Cymry,* gw. 122 am
dreigliad cyffelyb. Dyfodol 3. llu. yn *-ynt* o *ymgadwaf.* Nid
ym-, am- atblvgol sydd yma, ond *am-* "o gwmpas," cf. y
grym yn *ýmladd* ac *ymládd.* Gofala'r Cymry na chânt ddianc.

ymwelant, pan ddont hwy a'r gelyn wyneb yn wyneb ; neu
ynteu darll. *ymchwelant* (cf. 177, *atchwelwynt*). Mewn hen
org. am yr ail cawsid *imguelant,* gydag *-gu-* am *-chw-,* cf. glosau
fel *guaroimaou:* neu C.A. 293, *guec guero* "chweg chwerw."
Parai hyn amwysedd, gan fod *-gu-* bryd arall am *-w-,* cf. *petguar*
am "pedwar."

142 **ahont,** pres. dib. neu ddyfodol o *a-af.* Disodlwyd ef gan
elont o wr. arall.

nen. Yr ystyr gyffredin yw "to tŷ" ; hefyd "pen, pen-
naeth" ; ni thâl yr un yma, mwy nag yn C.Ll.H. 35 (201),
Kyndylan, kae di y *nenn* / Yn y daw Lloegrwys drwy Dren.
Os *pen* yw'r ystyr gyntaf, cf. *tal* yn *tal-ar,* ac *ardal,* a'r *pen* yn
Penllyn, Pencoed, a brawddegau fel "y pen yma i'r wlad."

143 **gwerth,** fel yn 63, 123, 144.

digonsant, gorff. 3. llu. *digoni* "gwneuthur." Rhaid iddynt
dalu hyd seithwaith am yr hyn a wnaethant.

144 **diheu,** gw. C.A. 159, "sicr, dibetrus." Ceir ystyr *heu* yn glir
yn "di-am-*heu.*"

cam. Dyma odli *-ant* ac *am.* Pe cyfrifid *-nt* fel *nn* gellid
odli hynny ag *mm* yn ôl y rheolau Gwyddelig, Meyer, *Primer
of Irish Metrics,* 7.

145 **talhawr,** telir.

o anawr. Yn ôl G. 26, efallai "clod, moliant" : cynigiais
innau "cymorth, amddiffyn," ar bwys yr enghraifft hon,
gw. C.A. 118, cf. B.B.C. 103, Goduryw a glyuaw . . . Teulu
madauc mad *anhaur.* Mal teulv bann benlli gaur. Nid oes
fawr o help yn y Gododdin, 150, *Anawr* gynhoruan / huan
arwyran : nac yn y gl. Llyd. *annaor* "quandoquidem,"
V.V.B. 41. Ystyrier ynteu *o anawr* gyda P.K.M. 73, Ac *o
nerth grym ac angerd* a hut a lledrith, Gwydyon a oruu. A wnâi
ystyr fel "nerth, grym, angerdd" y tro yn yr holl enghreifftiau

hyn, gydag *o* fel "trwy, by means of" ? Cf. hefyd 138, *o wir*,
am ystyr *o*. Daw dial ar y gelyn *trwy nerth* cynghreiriaid
y Cymry ? Mad neu ffodus yw *angerdd* milwrol teulu Madawc,
B.B.C. 103 ? Ni charwn fod yn bendant, gw. ar y ll. nesaf.

Garmawn garant, ceraint *Garmawn* neu *Carmawn*. Yn
Y Beirniad vi. 211, cyfeiriais at Gould-Fisher, *Welsh Saints*,
iii, ar Garmawn Sant, td. 63, lle delir fod amryw o'r enw,
dau yn Iwerddon, meddir. Rhoes un ei enw i eglwys,
Kilgorman, yn Wexford ; a dywedir mai ar ei ôl ef y gelwid
porthladd Wexford yn *Lough Garman: Llwch Garmon* yn
Gymraeg, R.B.B. 326, hyt yn iwerdon . . . ac yr tir y doethant
y *lwch garmon:* H.G.C. 120, hyt en llwch *garmawn* en ywerdon
y kerdassant, cf. Hogan, *Onomasticon*, 499, *loch garman*.
Dyry O'Donovan, *Three Fragments*, 218, ar *Dun Carman*,
"This was the name of an ancient seat of the kings of Leinster,
the site of which is now occupied by the town of Wexford" ;
221, *Carman*. Ar hyn, gw. Hogan, *On.* 156–8. Ni pherthyn
i mi benderfynu rhwng *Carman* a *Garman*, na datrys y
Garmoniaid yn fanylach na hyn : sôn am y Gwyddyl, gwŷr
Dulyn, a gwŷr o Iwerddon, sydd yn y cysylltiadau. Os hwy
yw *carant Garmawn*, nid y sant o Ffrainc yw'r Garmawn hwn,
ond sant o Iwerddon. Bardd o Dde Cymru yw awdur yr
Armes ; yn uniòn ar draws y môr o Dyddewi y mae Wexford,
ac ynganiad Cymraeg enw'r porthladd oedd Llwch *Garmawn*.
I ŵr o Ddyfed a wyddai am hwnnw, Gwyddyl Leinster fuasai
ceraint Garmawn.

146 **y pedeir blyned ar petwar cant** (cf. R.B.B. 257, Petwar
ugeint mlyned a whechant oed oet crist, pan vu . . .).
Ymddengys hyn fel cyfeiriad at flwyddyn arbennig, yn hytrach
nag ysbaid o flynyddoedd, gan na fedraf i o leiaf amseru'r gân
404 o flynyddoedd ar ôl dyfodiad cyntaf y Saeson. Nid oes
gennym namyn y gymysgfa yn *Historia Brittonum* Nennius
a'r *Annales Cambriae* i chwilio am flwyddyn o'r rhif hwn mewn
cyfrif a arferid yng Nghymru yn y nawfed neu'r ddegfed
ganrif. Yn rhagair yr *Annales*, Cy. ix. 152, dywedir mai ym
mhedwaredd flwyddyn teyrnasiad Gwrtheyrn y daeth y
Saeson i Brydain, a bod hynny y *pedwarcanfed* flwyddyn ar ôl
yr Ymgnawdoliad (in *quarto anno* regni sui saxones ad brittan-
niam uenerunt, Felice et tauro consulibus, *quadringentesimo*
anno ab incarnatione domini nostri Iesu Christi). Ni waeth

heb â cheisio datrys problemau amseryddol y gosodiad hwn
mewn nodyn fel hwn (na thrafod y cymysgu a fu rhwng amseru
o'r Geni ac o'r Croeshoelio) ; digon i'r pwrpas yw ei fod ar gael
mewn dogfen nad yw fawr diweddarach na'r Armes o ran ei
darddiad. Os at gyfrif cyffelyb y cyfeirir yn y gân, dealler
ynteu am flwyddyn dybiedig dyfodiad y Saeson. Sylwer,
fodd bynnag, mai 404 sydd ynddi, ac mai 400 o un cyfrif a
4 o gyfrif arall sydd yn rhagair yr *Annales*. Efallai mai'r bardd
a'u hunodd !

Yn yr *Historia*, fodd bynnag, adran 16, dywedir fod 405
o flynyddoedd o enedigaeth Crist hyd ddyfodiad Padrig at y
Gwyddyl (a nativitate domini usque ad adventum Patricii
ad Scottos CCCCV anni sunt), amseriad arall a eilw am
bennod o drafodaeth ! Nid 404 yw 405, ond i'r neb a gynefin-
odd â gwneud campau â ffigurau Nennius, y maent bron yn
gyfystyr. Pa bwynt allai fod mewn cyfeirio yn yr Armes at
flwyddyn dybiedig dyfodiad Padrig i Iwerddon ? Hyn,
efallai : dyna'r flwyddyn yr aeth Padrig y Brython ag efengyl
iachawdwriaeth drosodd i wlad y Gwyddyl. Mae blwyddyn
yn ymyl y telir y pwyth, pan ddaw'r Gwyddyl o Iwerddon
i waredu'r Brython o ormes y Saeson.

Prun o'r ddau sydd debycaf i fod yn gywir, sydd gwestiwn
na ellir ei ateb heb esboniad terfynol ar *o anawr* yn y ll. o'r
blaen, gan gynnwys ystyr *talu* yn yr un frawddeg (ai'r Saeson
yn gorfod talu iawn am eu troseddau, ai'r Gwyddyl yn talu'n
ôl i'r Cymry am roi sant iddynt), a chofio am y talu y sonnir
amdano yn 143.

147   **gwallt hiryon.** Braint gwŷr rhydd oedd gwisgo gwallt hir,
cf. B.T. 41, 25, Gwenhwys *gwallt hiryon* am gaer wyragon.
Defnyddia'r macwyaid a'r hen ŵr ym mreuddwyd Maxen
ractalau i gynnal eu gwallt. Cyfeiria'r *Tāin*, 2718, at wallt
hir Cuchulin a ddisgynnai dros ei ysgwyddau. Ond eilliai'r
saint eu pennau i fod yn foel i Dduw, arwydd caethiwed a
gwasanaeth.

    ergyr dofyd, ans. cyfans. o *ergyr* "dyrnod, trawiad," a *dofydd*
"arglwydd, meistr": medrus eu hergyd oeddynt, neu feistriaid
ergydion, cf. *rhegofydd, rhegddofydd* am y neb a roddai roddion.
Cy. xlii. 275.

148   **o dihol,** bai am *y dihol,* cf. 152, sef "i yrru allan," gw. G. 352,
dihol, diol "deol, alltudio" ; P.K.M. 245, *diholedic.*

149   **dybi,** daw, cf. 151, –3, ac *atvi* yn 115.

o **Lego,** gw. ar 106.   Rhoddwyd 4 ll. i sôn am y cynhorthwy
a ddaw *o* Iwerddon.   Yma deuant *o Lego:* yn 151, *o Alclut:*
yn 153, *o Lydaw.*   Ond yn 11, enwyd *Cornyw* hefyd.   Ai
llynges *o Gernyw* yw hon ?   Hyd yn hyn ofer fu f'ymchwil
am enw tebyg i *Lego* yno.

rewyd, D. "lasciuia, lascivus" ;   B.B.C. 61, 8, guraget *revit:*
R.P. 119 a 37, Lle *rewyd* kethlyd kathlodic (h.y. cath lodig
"mewn gwres") ;   Br. Cl. 134, Ni wybyd y tat y mab priawd
canys o deuawd yr anyueilieit y *rewydant* (= lasciuient) ;
M.A. 194 a 18, hyt gorvynyt *rewyt* redeint ;   B.B.C. 7, 5
(Breuddwyd) ny ritreithir y *reuit* (cf. R.P. 169 a 23) ;   D , Gan
rewydd nid pell fydd rhin :   Gnawd gan *rewydd* ry chwerthin.
Fel y gwelir, ystyr ddrwg sydd iddo amlaf, ond fel y
S. "wanton" a'r Ll. *lascivus,* gall olygu "cellweirus, chwareus"
weithiau.   Yma efallai mai "tanbaid, gwresog, ardent" yw'r
ystyr.

150   **rewinyawt.** Gall fod yn ferf dyfodol 3. un. "distrywia,"
neu amhersonol, "distrywir," neu'n enw (cf. *molawt*) "distryw,"
gw. P.K.M. 235, *rewin,* Ll. *ruina.*

ygat, yng nghad.

rwyccawt. Am ystyr y ferf gw. C.A. 107, -31, 346.   A ellir
darll. *rwyciat,* "rhwygiad" yma ?   Onide, cymerer *rewinyawt*
a *rwyccawt* fel dyfodol 3. un.

151   **Alclut.** Dumbarton ar Afon Glud, gw. 11, *Cludwys.*   Yn
A.C. 870, fe'i gelwir arx *alt clut.*   O *alt* gellid *allt* neu *all,* a'r
tebyg yw mai hen org. am *ll* yw *l* yma.

drut, weithiau "ynfyd," weithiau fel yma "dewr, foolhardy,
reckless."

diweir, ffyddlon, "staunch," gw. P.K.M. 302–3, ar y gwrth-
gyferbyniol *anniweir* am osgordd a wrthododd farw dros eu
harglwydd.   Ar *gweir,* gw. B. xi. 82.

152   **y dihol,** i'w deol, i eu deol.   Gall *y* gynnwys yr ardd. *i,*
a'r rhagenw mewnol lluosog.   Nid gwrthrych yw *virein luyd,*
os felly, ond ans. ystrydebol am Brydain (cf. 169).

153   **prydaw gyweithyd,** cyfystyr â *mirein luyd* uchod, "llu hardd."
Ar *prydaw,* gw. 110 :   ar *cyweithyd,* "mintai, cwmni, llu,"
gw. P.K.M. 45, llyma *gyweithyd* yn kyuaruot ac wynt, o wyr
a gwraged," G. 272 ;   B. vi. 108, *coueidid:* ac isod 157.

154 **ny pheirch eu hennyd,** gw. 114. Nid arbedant eu gelyn, gw. Lewis, *Elfen Ladin*, 44, ar *parch*, o'r Ll. *parco*.

155 **y.** Dealler fel *eu*, neu'n well fyth gadawer allan.

ae deubyd, a ddaw iddynt. Y mae'r *e* yn *ae* yn y cyflwr derbyn.

156 **treghis** (o *tranc, trengi*), "darfu" ; cf. isod 198, *treinc:* C.A. 192 ; B. iii. 87, heb *drang* heb *orffen:* iv. 45, *tregit* deweint "derfydd nos." Fel rheol cyfystyr yw â *marw.*

dioes, gw. 29, nid oes wlad iddynt, "they have no country."

eluyd, elfydd, gwlad, byd, gw. B. vi. 134 ar ei darddiad o *Albio:* B.B.C. 103, gelwir gosgordd Madawg, *mur eluit Eluan gaur,* mur elfydd Elfan Gawr, sef amddiffyn bro Elfan (brawd Cynddylan brenin Powys). Yr oeddent fel mur i Bowys. Isod 195, "byd."

157 **dyderpi,** bydd, digwydd "will be, will happen," gw. ystyron *darfod,* G. 298.

158 **a dyllid.** Dylid symud y ddeuair i ddiwedd y ll. i gael odl yn -*ydd,* os yr orgraff arferol sydd yma, a darll. *dillyd*(*d*) (gw. 115) neu *dyllyd*(*d*). Am ystyr, cf. S. *flux.*

angweryt. Ai llu. *anwaret* G. 32 ? Amwys yw : "clefydau nad oes modd cael gwared ohonynt," neu beryglon cyffelyb— dyna un ystyr bosibl. Un arall, ar bwys *danwaret,* "dirmyg, gwawd, gwatwar." Os darll. *anwerydd,* enw o *anwar,* cf. llawen-ydd. Cofier hefyd fod *Gweryt* yn digwydd fel enw afon ; pe felly, ai "llifeiriant" gydag *an-* yn cryfhau ? Gw. isod 174.

159 **canhwynyd,** G. 106, "? addurniadau, ceinion," neu yn hytrach fai am *canhwyllydd,* neu *canhwylydd.* Nid anodd darll. *n* am *ll* fechan yn yr hen lawysgrifau, nes bod *canhwyllydd* yn gywiriad tra rhwydd. Beth am ystyr ? Golyga un ai ddyn yn dal cannwyll, neu ynteu luosog anghynefin i *cannwyll.* Nid annaturiol fuasai hynny wrth sôn fel yma am gladdu yn amharchus. Perir anesmwythyd, fodd bynnag, gan fod ans. *canhwynawl* yn digwydd fel gair am "thoroughbred" (gw. D., *canhwynol, cynhwynol* "boneddig c. fydd Cymro fam dad, heb gaeth, heb alltud, heb ledach ynddaw . . . *Brito ingenuus, generosus, genuinus*"). Yn C.A. 53, 1353, *canhwynawl cann,* ymddengys fel ans. am farch gwyn gwych ei dras, neu arglwydd penwyn. A gwaeth fyth, ceir yn B. viii. 228–9 *oryeu kanhwyn-awl* am weddïau oriau rheolaidd yr Eglwys, "canonical hours."

Heblaw hynny mewn Galeg digwydd *kantena* droeon am ryw-
beth a gyflwynid yn nhemlau Celtiaid Gâl ; hefyd ceir *cantuna*
ddwywaith mewn arysgrifau yn yr Almaen, Holder i. 745,
755. Cynigiwyd amryw ystyron i'r ddau : yn eu plith
"canteen."

Gan fod *dwyn* i gael fel enw merch (*Dwyn*-wen, Llan-*ddwyn*) ;
gydag *addwyn* fel ans. "hyfryd, hardd," gair a ellir ei darddu
o'r Ll. *dignus* "teilwng"! (cf. R.C. xxxiii. 215, am yr ystyr,
Kanys Duw athangosses yn *aduyn* y gymryt Meir), neu fel
cytras ag ef o'r un gwr. â'r Ll. *dec-et, decus*, gellid *canhwynawl*
o'r rhagddodiad *cant-* a *dwyn* (cf. *cant-* a *dal, cynnal*), a
canhwynydd fel "harddwch, addurn." Ni ddaw o'r Lladin
condignus o achos yr -*h*- sydd ynddo, er cystal yw "very
worthy" am Gymro *cynhwynol*. Dichon esbonio oriau *kan-
hwynol* fel cymysgedd o *canonawl* â'r *canhwynawl* oedd mor
gynefin ym myd bonedd.

Os o *cant* "cylch, pared," y daw *canhwynydd*, cf. geiriau fel
colwyn, morwyn, gyda'r terfyniad -*wyn-* (o -*igno- -ogno-*,
Lewis-Pedersen, 32) i ateb i *canhwyn* "adeilad," a *canhwynydd*
yn y testun fel "plasau." Nes cael enghraifft sicr o *canhwyn*,
diogelach yw gweithio ar sail y *canhwynawl* y mae cystal
tystiolaeth iddo.

Mewn hen org. ceid math o gyseinedd rhwng *aryant* a
chant-wynydd.

160 **disserth.** Yn *Y Beirniad* vi. 214, cymharwyd yr Hen
Wyddeleg *disert* "a hermitage, an asylum," C.I.L. 660,
benthyg o'r Ll. *desertum:* enw a erys ar leoedd yn Iwerddon,
ac fel *Diserth* yng Nghymru. Teithiodd yr un llwybr â *llan*.
Ar *desertum* rhydd T.W. "diffaith, lle ynial, disserth" : ar
desertus "ynial, disserth" ; andwyodd Silvan (ac eraill) y gair
trwy ei droi yn *dyserth* (fel pe deuai o *dy-* a *serth*) ond ceidw'r
hen ystyr, a dyfynna Ed. Prys (Salm lxxiv. 14, am y lefiathan)
I'th bobl yn fwyd dodaist efo / Wrth dreiglo yn *y ddyserth*
(sef yn yr *anialwch*).

Yn y testun dymunir na bydd i'r gelynion namyn *perth*
"llwyn," yn gysgod neu noddfa wedi iddynt golli eu plasau
heirdd. Cosb yw am eu drygffydd.

ygwerth eu drycffyd. Nid oedd gan Gymry'r oes honno
barch i grefydd y Sais, a chwyna St. Aldhelm, abad Malmes-
bury, oherwydd y dirmyg hwn. Ar gais synod Seisnig,

anfonodd lythyr at Geraint, brenin Brython Dyfnaint, a chlerigwyr y fro honno, yn A.D. 705. Protestia yn erbyn ymddygiad offeiriaid De Cymru y tu hwnt i Afon Hafren (*Demetia*) yn dal i wrthod addoli yn yr un eglwys neu fwyta ar yr un bwrdd â Sais (gw. Gougaud, *Christianity in Celtic Lands*, 1932, td. 200–1 ; Beda, H.E. v. 181 ; Aldhelm, Ep. 4, td. 482–4).

161 **kussulwyr,** gw. 108, 165, "cynghorwyr.". .

162 **creu,** gwaed. "Bydded gwaed ac angau yn gwmni iddynt," cf. R.P. 165 a 31 (ym mrwydr Porthaethwy) oed yng *oed angheu an kymar.* Ing ac Angau oedd cymdeithion gwŷr Gwynedd yno.

    kyweithyd, cwmni, 153, 178.

163 **kadyr,** gw. 81, 179.

164 **etmyccawr,** edmygir, canmolir, C.A. 84, 124 ; molir Cynan a Chadwaladr (nid eu ffawd).

    hyt vrawt, cf. 192, hyd ddydd y farn, cf. Book of St. Chad., L.L. xliii, *hit did braut* (nid *bit* fel y darllenir yno).

    ffawt ae deubyd. Saif y cymal ar wahân. "Daw iddynt ffawd dda, llwyddiant."

166 **deu orsegyn.** Arferir *sengi* am sathru dan draed, gorchfygu'n llwyr, megis M.A. 300a, aerdorf *sengi.* Prin bod angen darll. (*g*)*oresgyn:* mae'r llall yn air cryfach, fel damsang, sathru dan draed.

    o pleit, o du, o ochr ; gw. C.A. 230–1, ar *obleid* ac *oblegid.* Yma gyda *Dofydd* "lord," golyga "dros Dduw, er mwyn Duw." Ystyr *plaid* oedd "ochr," P.K.M. 184.

167 **cedawl,** ans. o *ced* "rhodd," G. 120, "caredig, haelionus, bonheddig, gwych."

    gwlat warthegyd, ans. cyfans. am un a ysbeiliai wartheg gwlad, "cattle raider," cf. *preiddiwr:* B.T. 56, 15, am wledic gweithuudic *gwarthegyd:* 63, 2 (Urien) nym gorseif *gwarthegyd.*

168 **diarchar,** "diofn, eofn," a hefyd "helaeth, diatal," gw. C.Ll.H. 180.

    barawt. Treiglir ar ôl rhif deuol, P.K.M. 211, deu Wydel *uonllwm.*

169 **erchwynawc** (gw. 93), "amddiffynnydd," cf. *canllaw.*

170 **deu arth,** cf. 113. Benywaidd yw *arth* oddieithr pan ddefnyddir am arwr ystyfnig mewn brwydr, megis yn C.A. 6,

149, *arth* en llwrw byth *hwyr e techei*. Ceid eirth gwyllt yn y wlad hon hyd yr wythfed ganrif (*Antiquity*, Mawrth, 1941, td. 41).

nys. Cyflwr derbyniol sydd i'r -s yma fel yn 100 ; ni ddwg *cyfarth* (brwydr, gw. ar 113) bob dydd warth *iddynt*.

171   **meint,** gw. 103.

172   **Mynaw.** Nid Ynys Fanaw ond Manaw ger Edinburgh, C.A. xix–xx.

yn eu. Darll. *neu*, gan fod modd colli'r *y* yn *yn*, gw. L.L. 173, *nihit* "yn ei hyd."

173   **Danet,** gw. 31, 40.

bieiuyd, hwy fydd piau, W.G. 357 ar *pyeuvyd* a *pieivyd* yn A.L. i. 179, cf. H. 200, A dewi ae goruc gwr *bieifyt*.

174   **Gwawl,** hen air am wal, terfyn, yma y Wal Rufeinig ar draws yr ynys, cf. Gw. *fál*, gwrych, cae "fence, hedge," Windisch, W. 537 ; A.C.L. i. 300 ; iii. 192 ; Nennius, H.B. 23, Severus . . . murum et aggerem a mari usque ad mare per latitudinem Britanniae . . . deduxit, et vocatur Britannico sermone *Guaul:* chwanegir mewn rhai llsgrau. "a *Penguaul*, quae villa Scottice Cenail, Anglice vero Peneltun dicitur, usque ad ostium fluminis Cluth et Cair Pentaloch, quo murus ille finitur rustico opere, Severus ille praedictus construxit" ; Lloyd, H.W. 95, ar y ddwy wal, "the first, running from the Tyne to the Solway Firth, had been constructed in the time of the Emperor Hadrian ; the second, connecting the Forth and the Clyde, under his successor Antoninus Pius." Y wal ddeheuol yw'r un a fuasai debycaf o fod yn hysbys dan yr enw hwn yng Nghymru yn y ddegfed ganrif. Am ddefnyddio'r enw, gw. B.T. 64, 23 ; M.A. 203a, tra g. ; 225b, rutlan is g. ; 200a, o hir *wawl* hiraduc ; R.P. 86a 32, geyr *gwawl* gweilgi. Blas "goror" yn y rhain.

Ystyrier hefyd y gl. (Gwyddeleg ?) yn Juv. V.V.B. 50, *aul* ar *moenia, mur Bethleem:* a nodyn Loth, lle dyfynna'r Gw. *elo* i. *o aul*, i. *mur* doronsat gentiu. A oes berthynas ?

Gweryt, Afon Forth, gw. Cy. xxviii, 61–2 ; Skene, F.A.B. i. 56, "An old description of Scotland, written in 1165 by one familiar with Welsh names, says that the river which divides the 'regna Anglorum et Scottorum et currit juxta oppidum de Strivelin' was 'Scottice vocata *Froch*, [Froth] Britannice *Werid*' " (*Chron. of the Picts and Scots*, p. 136) ; A.L. i. 104, Ac odhena e lluydhaus Rud uab Maelcun a guir Guinet kan-

8

thau ac e doethant hid e glan *Guerit* en e Kocled, ac ena e
buant en hir en amresson pui a heley en e blaen druy *auon*
Guerit.

eu hebyr. Darll. *e: ebyr* llu. *aber*, gw. G. 5, C.Ll.H. 116 ;
hefyd 37 (38b), Ny threid pyscawt yn *ebyr.*.

175 **llettatawt** sydd yn y llsgr., bai am *llettawt* "lleda, will
spread," R.P. 5a 42, diuanwawt gwir *lletawt* geu ; 17 b 28 ;
166 b 25, lliwelyd *llettawt* dy volyant, llywelyn a llywarch
rwy cant ; H. 350, molyant llew *lletawt* om banyar . . . dros
dayar ; B.B.C. 25, 6 ; *llettaud:* 59, 14, Arth o deheubarth a
dirchafuy, Ry *llettaud* y wir ew tra thir mynwy.

pennaeth, llywodraeth, gw. 26, 38.

yr Echwyd, neu **Yrechwyd,** gw. C.Ll.H. 117 ; Cy. xxviii.
68–70, am wahanol farnau. Gwlad neu bobl i Urien Rheged
ydoedd, ac felly rywle yn yr hen Ogledd. Ar ôl 174, gellid
dadlau'n deg mai enw'r wlad rhwng y Wal a'r Forth. I'r
brudiwr hwyrach nid oedd ond hen air am "rywle yn y Gog-
ledd" ; ond dylid cofio serch hynny nad oedd namyn dwy
ganrif rhyngddo a'r adeg pan oedd ystyr bendant i'r enw.
Gall *yr* fod yn fannod : yn erbyn hynny arfer y beirdd oedd
osgoi bannod o flaen enw pobl, a dichon mai affeithiad o *ar*-
yw'r *er*- a geir yn yr enw, ac mai datblygiad o hwnnw yw *yr*-.
Ei ystyr yw "o flaen, ger," fel yn *Ar-fon*, *Argoed*, *arfor*,
Arberth, *Arddreiniog* (*Erddreiniog*).

Gan fod Silvan wedi cymysgu ffurfiau a llunio ystyron
amhosibl, gwell dosbarthu'n fras beth sydd i'w gael.

I ddechrau, *echŵydd* (a yngenid i odli ag -*ŵydd*), megis C.Ll.H.
40, 55c, Llyd. *ec'hoaz* (Troude, "Amseroedd a lleoedd gorffwys
i anifeiliaid yn y cysgod yng ngwres mawr y dydd") ; A.L. i.
274, [ych] od ard or bore hyd *hecuuyt*. [yna, ail gynnig iddo]
or (*od*) ard or bore hyt *hannerdyd*, dogyn yw ; D. Trafferth
ych hyd e. ; C.Ll.H. 40, oed gnodach . . . nogyt ych y *echwyd*
(odli a *Throdwydd* = rhodŵydd) ; A.L. i. 534, y bore ac e.
= ii. 828, mane vel *meridie:* Ll.A. 78, am bryt e. ; 79, ar
awr e. (231, circa *horam tertiam* diei, sef naw o'r gloch y bore) ;
Y.C.M. 13, ygkylch awr e. (Cy. xx, 98 ; Ll. *hora tertia:* Cod.
Gall. 52, "vers *tierce*," S. *terce* "office of third hour") ; R.C.
xxxiii. 240, or bore hyt *echwyd* y bydei en y gvedieu. O *nawn*
eilweith y bydei en e gwedi = 213, O'r bore beunyd hyt
traean dyd y guediei, or *nawuet* eilweith yd aei y wediaw.

Dyry J. J. Gellilyfdy, 1639, daflen yn Pen. 308 (R. i. 1112),
Rhy dwt ydyw !

> Bore = Pylgain (3—6) ac Anterth (6—9).
> Dydd = Echwydd (9—12) a Nawn (12—3).
> Hwyr = Gosper (3—6) ac Ucher (6—9).
> Nos = 9 p.m. i 3 a.m.

Cf. H. MSS. ii. 249, beunyd *yrwg echwyd a hanner dyd* y dis-
gynnei egylyon yn y llynn (Ll. *infra horam tertiam et sextam*
"rhwng y drydedd a'r chweched awr"). Ond yn ôl D.W.S.
kino echwydd ne pyrnhawnfwyt "nonemeat," ac o'i Destament
dengys Silvan mai cyfystyr i Salesbury oedd *echwydd* â *hwyr*,
ac â *gosper*. Dyfynna Garnhuanawc (H.C. 187) i brofi bod y
godechwydd ar arfer mewn rhan o Frycheiniog fel yr unig
air am *pryd nawn*. Rhydd *gwedechwydd* fel amrywiad, sef
gwedi echwydd "after-noon," heb weld y profai hynny mai'r
amser *cyn* y pnawn oedd *echwydd* ei hun ! Dengys ei restrau,
fodd bynnag, fod y Gogynfeirdd yn odli'r gair hwn ag *-ydd*
yn ogystal ag *-ŵydd*.

Dyry Ernault, G.M.Br. 204, *ehoazyet* o'r Catholicon fel
Llyd. Canol am un yn gorffwys ganol dydd (Ll. *meridiatus*),
a chymhara *ec'hoaz* yn nhafodiaith Leon, ac *echwydd* yn
Gymraeg. Dengys Llydaweg a Chymraeg yr un duedd i
symud awr echwydd ymlaen i ganol dydd, cf. A.L. ii. 828, lle
rhoir *meridie* i ateb iddo. Cyferbynner â'r S. *noon* (sef 3 p.m.),
a aeth yn ei ôl i ganol dydd. Ceidw'r Gymraeg ei phryd *nawn*
hi yn yr hen amser. Yn y ddwy iaith cysylltir echwydd â
gorffwys, cf. Gwalchmai, M.A. 144a, dychward gwyr *wrth
echwyd* (odl yn *-ydd*) "Chwardda gwŷr pan ddaw adeg
gorffwys."

Mae hefyd ans. *echwydd* (odli yn *-ydd*), a ddefnyddir am
ddwfr croyw ; cf. Cy. ix. 332, *echwydd* = croyw (hen eirfa) ;
227 b 40 (Ioan yn bedyddio Crist) *yn dufyr echuyt* (odli a *bedydd*,
dedwydd) ; B.B.C. 88 (ymyl), redecauc *duwyr echwit:* 87, 13,
ar *hallt* ar *echuit:* B.T. 55, 10, *echwyd* a muchyd kymyscetor ;
69, 11, kyfrwnc allt *ac allt ac echwyd* (darll. *ac hallt*) ; Hengwrt
MSS. ii. 244 (Pedair Afon Paradwys), ar pedeir auon hynny
yssyd yn gwassanaethu *dwfyr echwyd* yr holl vyt (Lewis, D.B.
55, *Hallt* uyd dwfyr y mor, *melys ac yscawn* vyd y dwfyr a
hanffo o bedeir auon paradwys). Digon yw hyn i brofi mai

"croyw, melys" yw ystyr yr ansoddair ; cyferbynnir ef â
hallt, ac arferir ef am ddwfr, yn union fel y dywedwn ni
dŵr croyw.

Rhydd Silvan *echwyddo* hefyd : ei enghreifftiau yw B.B.C.
88, A thrydit ryuet yv merwerit mor. Cv threia, cud *echwit*
(odlir ag -*ydd*, ac ni all fod o *chwyddo:* yn ôl org. y llsgr. gellid
darllen *echfydd*. Ei ystyr yw "pallu" neu "fethu"). Yn
C.Ll.H. 41, darllenodd Silvan, "Freuer wen brodyr a'th vu
. . . Ni *echwydd* [*al. echyuydei*] *sydd* ganthu" ; gwell yw dilyn
R.B.H. a darll. "Ny *echyuydei ffyd* ganthu." Yn sicr *echfyddai
ffydd* sy'n rhoi synnwyr ; berf o *echfod* = Gw. *esbaid* "methu,
pallu." Fe'i ceir hefyd yn M.A. 194b, Gwyteluod aruchel
nawd ny *achwyt:* cywirer wrth H. 200, Gwyteluod aruchel
nawt ny *echwyt*. Odlir â *mynyt* "mynydd." Dengys hyn mai
o destun lle ceid *echwitei* y cafwyd *echyuydei* 'r ail enghraifft
(darll. *w* fel *iv* a'u troi yn -*yu*-). Yr un ystyr sydd yma eto,
"nawdd ni fetha." Am yr ystyr cf. *echfod* a *darfod*.

Gelwir Urien yn udd neu arglwydd *Yr-echwydd* (*Er-echwydd*)
yn Llyfr Taliesin. A oes berthynas rhwng yr enw hwnnw â'r
geiriau hyn ? Am ei fod yn cydio *echwydd* wrth Ll. *ec'hoaz*
esbonia Loth yn bur bendant mai Arglwydd y Deheudir, sef
De Cymru, ydoedd (gw. R.C. xxi. 335–6), a dwg resymau
(sigledig) eraill i ategu hynny. Cynnig Ernault darddu
echwydd, ec'hoaz, o'r Galeg *ex-sēd-*, ond nid esboniai hynny na'r
-*ŵydd* na'r -*wydd* yn y gair Cymraeg, tra dengys -*oaz* y Llyd-
aweg, wrth gymharu *goaz* "gŵydd, goose," fod rhywbeth i'w
ddweud dros *echŵydd* yn Gymraeg am yr egwyl ganol dydd.
Sut bynnag, odlir enw gwlad Urien yn rheolaidd ag -*ydd*,
a digon yw hynny i ddymchwel esboniad *Deheuol* Loth. Yn
ôl Syr John Morris-Jones, Cy. xxviii. 68, cyfetyb *Yr-echwydd*
i'r Ll. *Catarracta*, "Thus *Udd yr Echwydd* 'Lord of yr Echwydd'
is parallel to *Llyw Catraeth*" am Urien : ystyr *echwydd* iddo
ef yw "flow," a dwfr e. "flowing water." "The prefix [*Ar-*,
Er-] denotes 'a district adjoining' as in *Arvon*." Ni fedraf i
weld mai "flowing" yw'r ystyr, e.e. yn B.B.C., lle dywedir
"Rhedegawg yw dwfr echwydd." Nid yw'r môr hallt yn
llonydd, a chyferbynnir *hallt* ac *echwydd* yn gyson, fel y gwelir
uchod ; nid yn llif un a llonyddwch y llall y mae'r gwrthgyfer-
byniad, ond yn eu blas. Medrwn nesu at farn Syr John pe
cymerid dwfr echwydd fel dwfr *afon*, ac Ar-echwydd fel

Ar-*afon*, tir yn wynebu ar afon enwog.   Pe felly, yn ôl awgrym yr *Armes*, dewiswn yr Afon *Tweed*, a gadael *Are-cluta* i'r lleill o wŷr y Gogledd.   Mae blas y *Forth* yn erbyn ei dewis hi !   Neu gellid dewis yr *Ouse* neu'r *Swale*.

176   **attor,** gw. 68, 190.

   gynhon, gw. 131, 183.   Yma gyda *Saesson*.

177   **atchwelwynt,** dychwelant.   Grym yr *at-* yw "yn ôl" ; bydd iddynt droi yn ôl.

   Wydyl.   Treiglir ar ôl berf luosog yn y gystrawen hon, cf. 141, 178.

   ar eu hennyd, at ei gilydd, at y lleill.   Ceir *ar* = at, yn gyffredin yn yr hen destunau, gw. C.A. 314, *ar dan* "at dân" ; P.K.M. 203, *at* yn y Llyfr Gwyn ; *ar* yn Pen. 6 ; W.M. 227b, dos ditheu *ar* arthur.

178   **rydrychafwynt,** *ry-* a dyf. 3ydd. llu. *drychafael, dyrchafael,* codi, cf. 129, *drychafant.*

179   **cwrwf,** cwrw, gw. P.K.M. 149 (ar *twrwf*) am y ffurf.

   am gwrwf, gw. *dam,* "o gwmpas," B. vi. 107, C.Ll.H. 127, 146.

   twrwf, twrf.   Weithiau golyga "twrw," a chyffro (cf. *cynnwrf*), weithiau "torf," gw. B. xi. am drafodaeth ar y gair a'i darddiad.

180   **Dews,** Ll. *Deus.*   Am y gair, gw. B.B.C. 10, Nid ew ym crevis *dews* diffleis yr guneuthur amhuill.

   rygedwys, *ry-* a gorff. 3ydd. *cadw,* sef *cedwis* "cadwodd" ; nid *-wys* yw'r terf. gan nad affeithiai *-a-* i *-e-*, ac ni cheir *-ws* yn y ferf hon, G. 91.

   eu ffyd, cf. 160, 168.

181   **Iwis,** gw. 108, cf. H. 28, a gawr daer drac *iwys* (odli ag *eglwys,* cf. B. iv. 45, *ywuys*).

   tres, cythrwfl, cyffro, gw. C.A. 308.

182   **cymot Cynan.**   Amlwg yw fod yr hen chwedlau coll yn sôn am ymrafael rhwng Cynan a Chadwaladr, cf. B. v. 133, pa gerddor a gan pan alwer Kynan . . . gar bron Kydwaladyr . . . pan vo'r drank druan ar Gynan ab Bran.

184   **namyn,** gw. 74.   Ni elwir y gelyn yn rhyfelwyr (*cynifwyr*) namyn isel-weision a chyfnewidwyr Cadwaladr.

   cyfnewitwyr, "masnachwyr," gw. G. 212.   Yma'n ddirmygus. "chapmen, hucksters."

185 **eil Kymro,** mab, hil, etifedd, P.K.M. 213, C.A. 171, 256.

186 **am,** i'w gymryd gyda *llawen* yn 185, ac ymlaen gyda 187.

cymwyeit. Nid enw lle, fel y cynigia G. 241, ond lluosog yn ei ail ystyr i *cymwyat* "cythryblwr, poenwr." Llawen fydd cenedl y Cymry wrth weld poenwyr Prydain yn gelaneddau hyt yn Aber Santwic.

heit a deruyd, sangiad, i ddisgrifio'r Saeson. Dyna ydynt, llu ar ddarfod. Ar *heit* "haid, swarm," am wenyn ac am elynion, gw. C.A. 243, C.Ll.H. 132.

187 **pan safhwynt.** Ail adrodd 122.

188 **Aber Santwic,** Sandwich yng Nghaint, porthladd go brysur yn y cyfn d hwn ; gw. cyfeiriadau yn *Mon. Hist. Brit.*, e.e. o'r *Anglo-Sax. Chron.* am 851, "king Æthelstan and Ealchere the ealdorman fought on shipboard, and slew a great number of the enemy at Sandwich (*Sondwic*) in Kent. And took nine ships, and put the others to flight." Cedwir sain gyfoes yr enw Saesneg yn yr Armes ; odla â swyne*dic.*

swynedic. Dyry D. *swyno,* incantare, benedicere, . . . excusare : Duw o nef ath *swynas* (Prydydd y Moch) "benedixit." Yn y cyswllt hwn "Bendigedig fydd !" Ebychiad o lawenydd gan y Cymro.

189 **ar gychwyn,** gw. C.A. 167. Yma "starting," cf. H. 285, Gnawd oe law y lavur cochwet / y *gychwyn* allmyn alltudet. Adlais o'r *Armes,* fel R.P. 18 b 22, allmyn *ar gychwyn* gochwed dyghet breoled dachwed gyrded gerthet.

alltudyd, cf. alltudedd uchod, 43. Ceir enwau haniaethol yn -*ydd* (cf. llawenydd) ac -*edd.*

190 **ol wrth ol** "one after the other," gan fod *ol* ar arfer am ôl troed.

192 **gwenerawl,** cf. R.P. 23 b 11, Donyawc didrist grist groes rinnwedawl. didlawt yn gwarawt dyd *gwenerawl* = H. 322. Benthyg o'r Ll. *venerābilis,* medd B.T. 86 ; yn R.P. 23 addas yw'r ystyr, ond gall fod atgo am Ddydd *Gwener* y Groglith yno. Nid oes yma namyn ans. parchus am y Cymry. Yn y llun gwelir pwynt o dan *w:* os yw o fwriad, rhaid darll. *generawl,* o'r Ll. *generalis,* y bardd yn cyfeirio at y Cymry i gyd. Pe darllenid *generawt* o'r Ll. *generatio* ("race, kind, generation," Baxter-Johnson) ceid cymar i 185, *eil Kymro,* ac odl â *vrawt.*

hyt vrawt goruyd. Llwydda cenedl y Cymry dros byth— cymerer *Kymry* fel dibynnair ar *generawt,* goddrych y terf.

193 **na cheisswynt,** dymuniadol neu orchmynnol, "Na cheisiont" neu "Na cheisient."

llyfrawr, llu. *llyfr* neu fenthyg o'r Ll. *librarius.* Dangosodd T. Jones, B. xi, fod y gair Lladin ar arfer nid yn unig am gopïwr llyfrau, ond hefyd am ddewin neu swynwr. Gwedda hynny yn wych yma.

agawr, angawr "cybyddlyd, awchus," y S. "greedy."

194 **arymes,** cf. B.T. 27, o *erymes* fferyll. Am yr ystyr gw. B. 1, 35–6, "darogan, proffwydoliaeth," yna magodd yr ystyr o drychineb. Cf. R.P. 2 a 43, Dywedwyf nyt odrycawr. *ormes brydein* pryderawr. wedy meruyn rodri mawr ; B. iv. 114, *armes prydein* pryderer.

195 **iolwn i ri,** gw. D. "*ioli* est *gweddio* ait Ll. [W. Llŷn], *adolwg* ait G. T. [Gwilym Tew] *diolch* ait T.W. (T. Williams)," a chwanega " Quae omnia videtur significare." Yma *"Gofyn-nwn* i Dduw," a rhoir y weddi yn 196, "Boed Dewi'n arweinydd i'n milwyr !" Cyfansawdd ohono yw *eiriol (eiryawl,* 105).

eluyd, byd, gw. 156.

196 **Dewi,** gw. 51.

yr. Gwell darll. *y'n* "i'n."

197 **yn yr yg,** yn yr ing, mewn cyfyngder. Gellid darll. *yn yg.*

Gelli Kaer, cyfeiriad, mae'n dra thebyg, at y gaer ym Morgannwg, *Gelligaer.* Dywed T. Morgan (*Place Names*) mai oddi wrth gastell a godwyd gerllaw'r pentref yn 1140 y cafodd y lle ei enw, ond cf. Caernarfon. Hŷn yw'r gaer na chastell Edward I. Am ffurf yr enw cf. *Gelliwig,* yn unair : *Gelli Gaer* yn ddeuair.

198 **treinc,** pres. 3. un. *trengi,* cf. 156.

ardispyd, G. 37, "? gwanhau, ? diflannu, cilio." Dyma'r unig enghraifft sydd ganddo o'r cyfans. ond dyry, td. 372, *dispydu* "disbyddu, gwacáu, gollwng." Dr. Davies yn ei gydio wrth *hysb,* ac yn llunio *dyhysbyddu* "evacuare . . . exhaurire" ; Ll.O. 84, –5, *dihysbydd,* a *disbyddu:* L.B.S. iv. 425, 4 ; Lewis, Br. Ding. 103. Ar lafar clywir *'sbydu.* Yn y testun "ni chilia." Cf. Pen. 53, 3, naw fynnon a a *yn ispydd.*

199 **gwyw,** pres. 3. un. *gwywo,* crino, "wither, fade away."

gwellyg, D. *gwellygiaw* "facere vt defectum patiatur, parui

estimare, deficere" ; Ll.A. 54, Am *wellygyaw* ohonunt . . .
ac am *wellygyaw* ohonunt kyffessu y pechodeu (=212, quia
. . . *neglexerunt* . . . quia hic peccata confiteri *despexerunt*) ;
64, buched Iessu. ac yn hwnnw megys ymywn llyuyr y darlle
pawb beth a *wellygyassant* (= 220, *neglexerunt*) ; T.W. *negligo*,
esgeuluso, . . . gwallygu, diddarbodi ; A.L. ii. 114, ny dylyir
dirwyaw nep ymywn lluyd rac *gwellygyaw* gwassanaeth y
arglwyd neu y lesteiraw ; B.B.C. 86, 3 (Gweddi ar Dduw)
nam *gwellic ymplic* im ple[i]d dirad. Nam *gollug* oth law
. . . Nam *ellug* gan llu du digarad ; M.A. 190 a 14 ; 201a,
gwellygyaw uyg kert yw uyg koti ; 211 b 42 ; 226 a 47, b 12.
Yn y testun "ni fwrw ni ymaith yn ddirmygus," neu'r cyfryw.

plyc, cf. Ll.H. 77, doeth i lwyth hwva pla *plyc* / Oed *plyc*
dwyn terrwyn yn y tyrrei bobyl ; 246, kyn *plyc* mab meuryc
(mewn marwnad i Rys m. Meuryc) ; 249, 15, Marwnad heb
plyc hirddryc hart bellach a [a]llaf oe gert ; 257, yd *blygyad*
kymry.

ny phlyc, deil yr un fath, heb ŵyro'r naill ffordd na'r llall,
heb ysigo.

ny chryd, o *cryddu*, G. 182 "lleihau, crebychu" ; B.T. 21, 24
(afon) gogwn pan *wesgryd:* H. MSS. ii. 245, Ar gwyal hynny
. . . heb na thyfu na *chrydu* mwy no hynny na symutaw dim
or un anssawd ; R.C. xxxvii. 299, Gw. *creadhbh* "contraction" ;
Dinneen, "a gnawing, a shrinking, withering." Cymherir
Llyd. *crezz* "cybyddlyd," *crezni* "cybydd-dod," cf. *crin*-was
am gybydd ; ac S.G. 174 (Arthur) nyt oes gennyfi chweith
ewyllys y wneuthur da na *ehalaethder* . . . namyn vy medwl
yssyd wedi trossi ar wander a *chrydder* callon, ac am hynny
y colleis vy marchogyon ; D.B. 49, dan chwerthin a *chrydu*
eu gwefleu (Ll. rictus *contrahit*). Yn y testun am Dduw,
erys yr un, "ni leiha." Di-gyfnewid yw.

GEIRFA

(Ni chynhwysir mân eiriau cyffredin)

a, 112, goes.
aber, 30, rivermouth, estuary.
Aber Perydon, 18, 71.
Aber Santwic, 188.
adaw, 59, leaving behind, deserting.
adrodynt, 97, shall say.
agawr (angawr), 193, greedy.
agor (angor), 161, 191, anchor.
agreith, 95, challenge.
aghen, 36, need.
agheu, 36, 84, 121, 144, 157, 162.
angweryt, 158.
ahont, 142, will go.
Alclut, 151.
alluro, 111, foreigner.
allmyn, 7, 28, 52, 94, 142, 189 (allan, 106).
allt, 57, hill, height.
alltuded, 28, 43, exile, abroad.
alltudyd, 189, exile.
am, 55, 57, 58, 179, about, at.
amhar, 120, hurt.
amser, 13, 137, time.
amygant, 78, take to themselves.
an, 40, 138-9, our.
anaeleu, 37, 72, *nodyn.*
anawr, 145, *nodyn.*
aneireu, 53, *nodyn.*
anuonhed, 14, 33, ignoble, unworthy.
anhed, 4, settlement, dwelling, furniture ; 40, yn a. in occupation.
anneiraw, 110, *nodyn.*

anoleith, 83, unescapable, unavoidable.
anreith, 95, booty, spoil.
ar, 177, to.
ar, on, 110, 111 ; ar gychwyn, 189, starting.
ar hynt, 96, straightaway.
ar Lego, 106.
arbettwy, 116, will spare.
ardispyd, 198, be exhausted, empty.
arhaedwy, 29, will have, will receive.
arosceill ? 85 .
arth, 113, 170, bear.
aryant, 159, silver.
arymes (armes), prophecy, foretelling, 194.
atcorant, 74, return.
atchwelwynt, 177, will return.
atvi, 115, -7, -8, -9, will be.
atporyon, 12, remnants, leavings.
attor, 68, 176, -90, back.
awen, 1, 107, the Muse.
balaon, 60 (beleu), martens, wild beasts.
beunyd, 111, 123, 170, daily (cf. peunyd).
blaen, 62, point.
blyned, 146, year
boet (cf. poet), 160, 161-2, let it be, may it be.
bon, 62, tail, rump.
bonhed, 14, cf. anvonhed.
brawt, 164, 192, judgment, doom.

breint, 139, privilege.
breyr, 46, nobleman, *nodyn*.
bryn, 70, 87, hill.
bryt, 20, mind.
Brython, 12, 42, 90.
bwrch, 66, burgh.
bwynt, 27, may they be.
bydin, 64, army, host ; bydin-
   awr, 56, armies ; bydinoed, 81,
   179.
byt, 39, world.
kadyr, 81, 163, 178, bold, strong.
kasnar, 5, fierce, cruel ?
Kaer Geri, 69, Cirencester.
Caer Weir, 7, Durham.
Caer Wynt, 96, Winchester.
calaned (celein), 122, 187, corpses.
called, 31, cunning ?
cam, 144, wrong.
canhwr, 73, hundred men.
canhwyll, 88, candle, light, hero.
canhwynyd, 159, *nodyn*.
car, 116, kinsman ; carant, 138,
   145, kinsmen.
cat, 82, 127, 132, 150, army, host,
   battle ; catoed ? 22.
katueirch, 154, warhorses.
Katwaladyr, 81, 91, 163, 184.
kechmyn, kychmyn, 27, 40, 184,
   scavengers.
cedwis (rygedwys), 180, kept.
cedawl, 167, giver of gifts.
ceffir (cael), 138, will be got.
ceffyn, keffyn (cael), 101, 103,
   nodyn? though they be.
ceisswynt, 193 ; na ch., let them
   not seek.
ceissyassant, 133, sought.
keith (kaeth), 34, captives, bonds-
   men.

keithiwet, 24, bondage.
kenedloed, 136, families.
kennadeu, 121, –4, messengers.
cenyn (canu), 90, will sing, utter.
cerd, 111, wandering.
cerd, 88, will walk, go.
Ceri, 69.
ketoed ? 22, *nodyn*.
ketwyr, 119, 154, warriors.
clas, 93, family, people.
clefyt, 158, sickness.
Cludwys, 11.
koet, 65, 87, forest, wood.
cor, 48, *nodyn*.
corff, 116, body.
Cornyw, 11.
kilhyn, 65, will withdraw, retreat.
cilyd, 116, 182, *nodyn*.
creinhyn, 63, will wallow.
creu, 76, 94, 162, gore.
crewys, 195, created.
cryd, 199, shrivel, shrink, waste
   away, lessen.
crynet, 99, na ch., let D. tremble
   not.
crysseu, 76, shirts.
kud, 112, *nodyn*.
kussyl, 165, counsel.
custud (cystudd), 94, suffering.
cw, 135, –6, where ?
cwd, 112, where ?
cwrwf, 179, ale, beer.
cwssyl, 108 (cussyl).
cwynant, 69 ; cwynyn, 19, cwyn-
   nyn, 47, bewail, complain.
cychwyn, 189, starting.
kyfarth, 113, 170, battle.
kyferuydhyn, kyferwydyn 17, 54,
   will meet.
kyfergyr, 125, conflict, fight.

cyfnewitwyr, 184, chapmen.

kyfun, 61, united, as one.

kyfyng, 62, close, pressing hard.

kyfyrgeir, 58, *nodyn.*

cyghor, 48, 68, counsel.

kylchyn, 15, 64, yn eu k., about them.

cymot, 9, 182, reconciliation, kymodynt, 50, will be reconciled.

Kymry, 9, 22, 44, -6, 54, 61, 77, 82, 97, 125, -7, 141, -78, -85, -92.

cymwyeit, 186, tormentors, those who plague.

kyn, 120, before.

Kynan, 89, 163, 182.

kyneilweit, 47, patrons.

kyneircheit, 47, 77, clients ; kynyrcheit, 61.

cynhoryon, 101, champions, leaders.

kynifwyr, 183, 196, warriors.

cynnullant, 128, will gather.

kynnwys, 11, *nodyn.*

kynnyd, 33, gain.

kynt, 43, sooner.

kynt pwy kynt, 96, as quickly as they can.

kynted, 15, hall.

cyny, 19 (cyn + ni), though not.

kynyrcheit, 61 (kyneircheit).

cyrchassant, 83, made for, rushed on.

cyteir, 126 ; united, harmonious.

cytson, 126, in agreement.

cytffyd, 126, faithful, pledged to one another.

cyweir, 126, ready for battle, fully equipped.

cyweithyd, 153, -7, 162, 178, company, host.

dagreu (deigr), 37, tears.

dalyant, 134, hold.

Danet (Thanet), 31, 40, 173.

dayar, 29, land.

dechymyd, 35, -6, -9 ; decymyd, 37, *nodyn.*

degyn (dengyn), 5, 95, 165, strong, mighty.

deruyd, 171, will be, happen.

deruyd, 181, 186, will cease, pass away.

derwydon, 171, druids, soothsayers.

deu, 165, -70, two.

deuant, 81, come.

deubyd, 155, -64, will come.

Dewi, 51, 129, -40, -96.

Dews, 180.

dialawr, 123, will be avenged.

diarchar, 168, brave.

dichlyn, 92, hunt after, chase ?

dichwant, 77, careless of, reckless.

dieinc, 198, run away.

difri, 69, earnestly, bitterly.

diffroed (difroedd), 44, homeless.

diffyn, 6, defending, defence.

digonsant, 143, have done, did.

diheu, 144, certain.

dihol, 148, 152, drive out, banish.

dilein, 34, 42, death, destruction.

dillyd, 115, dyllid, 158, flow, stream, movement.

dinas, 66, refuge, fortress.

dioes, 29, 156, have.

diruawr, 56, huge.

dirwadant, 70, deny.

discyn, 59, 89, attack ; discynnant, 73 ; discynnyn, 16, will attack.

disserth, 160, hermitage, asylum.

diweir, 151, reliable, loyal.

doethant, 71, 136, came.

dofyd, 147, master, lord ; 166, the Lord.

dros (tros), 93, over.

drut, 151, brave, rash, reckless.

drycffyd, 160, bad faith.

drychafant (dyrchafaei), 129, arise, drychafwynt, 82, 178, will arise.

du, 187, black.

Dulyn, 9, 131.

dullyn, 61, will form up in battle array.

Duw, 51, 197.

dwys, 165, thoughtful, wise.

dybi, dybyd, dybydyn, 148, 151, –3, will come.

dychwel, 67, returning.

dychyferwyd (-eruyd), 121, will meet.

dychyfroy, 38, *nodyn*.

dychynnullant, 72, gather ; dychynnullyn, 21.

dychyrchwynt, 113, will rush to, hasten.

dyd, 107, day.

dydaw, 107, will come.

dyderpi (darfod), 157, will happen.

dyfal, 115, persistent, without ceasing.

Dyfet, 99, 173.

dyffei (dyfod), 24, amherff. 3. un. ; dyffo, 108 ; dyffont, 132, (will) come.

dyffryn, 70, valley.

dygobryssyn, 1, hasten.

dygogan, 1, foretell ; dygoganher, 13, is foretold.

dygorfu (? -fi), 125, –7, will have to.

dyhed, 4, 75, commotion, war.

dylyet, 134, right, law.

dylyedawc, 23, noble.

dyorfyn (cf. dygorfu), 12, conquer.

dyrnawt, 41, blow.

dysgogan, 17, 107, 171 (dygogan).

dywedant, 75, tell.

ebryn, 101,*nodyn*.

ebyr (aber), 174.

Echwyd, 175.

ef (fe), 123, 145.

ehelaeth, 3, extensive.

eil, 185, descendant ? son.

eiryawl, 105, prayer.

eisseu, 53, through lack of.

eissor, 48, likeness, similarity.

eluyd, 156, land ; 195, earth.

emennyd, 117, brains.

eneit, 77, life.

erchwyn, 93, bedside, border, defence.

erchwynawc, 168, protector.

ereill (arall), 65, 85, 104.

ergyr, 147, blow ; ergyr dofyd, skilled in striking, skilful fighter.

escorant, 86, fold, pen ?

escut, 6, swift.

etgyllaeth, 38, sorrow, longing.

etmyccawr, 164, will be honoured.

eur, 20, gold.

ewyllis, 20, will, wish.

ffawt, 164, –8, fate.

fflet, flet, 31, 52, trick, wile, deceit.

ffo, 111, flight ; ffohawr (?) 106 ; ffohyn, 66, fiee.

ffoxas, 66, foxes.

ffraeth, 3, ready.
ffrwt, 106, stream, river.
ffyd, 168, 180, faith.
gaflaw, 117, split open.
galwawr, 183, will be called.
Garmawn, 145, *nodyn.*
garw, 59, rough, fierce.
gawr, 57, shout, battle-cry.
geir, 25, word.
geir kyfyrgeir, 58, shout answering shout.
Gelli Kaer, 197, *nodyn.*
genhyn, 2, 11, 88, 102, 131, 137, with us, from us.
geu, 63, lie, falsehood ; 124, false.
glan, 129, holy, pure.
glan (glann), 55, bank.
Glywyssyg, 99.
gobeith, 110, hope.
goeir, 46, 50, calumny, reproach, shame.
gofut, 6, pain, battle.
gofynnant, 133, ask.
Gogled, 15.
gorescyn, 14, take possession.
goruoled, 8, joy, jubilation.
goruyd (gorfod), 192, *nodyn.*
gorffen, 84, yg g., at the end.
gorolchant, 76, wash.
gosceill ? 85.
gorsegyn, 166, treading down.
granwynyon, 62, palefaces, Saxons.
grud, 94, cheek.
gryn, 57, push, charge.
gwae, 90, woe, lament.
gwaet, 114, blood.
gwaetlin, 64, flow of blood.
gwaethyl, 7, contention, battle.
gwallt hiryon, 147, long-haired.

gwarawt, 98, has saved.
gwarth, 155, 170, shame, calamity.
gwarthegyd, 167, cattle-raider.
gwascar, 120, separation.
gwasgarawt, 7, will rout.
gwatwar, 74, mockery, derision.
Gwawl, 174, (Roman) Wall.
gwdant (gwybod), 84, know.
gwedy, 4, after.
gwedw, 118, widowed.
gwehyn, 8, exhaustion, driving out.
gweilyd, 118, riderless.
gwellyc, 199, fail.
gwenerawl, 192, *nodyn.*
gwerth, ygwerth, 63, 144, 160, in return for ; 123, gw. nodyn.
Gweryt, 174, the Forth.
gwir, 138, o wir, by right.
gwirawt, 35, drink.
gwlat, 42, 128, 134, land.
gwna (gwneuthur), 170, gwnaant, 80, gwnant, 82, do ; gwnaent, 53, let them make ; gwnahawnt, 8, do, will make ; gwnaho, 100, -2, will do.
gwraged, 37, 75, 118, women, wives.
Gwrtheyrn, 27, 137.
gwrthodet, 52 ; gwrthottit, 41, may he repel, frustrate, turn back.
Gwy, 58, the Wye.
gwychyr, 5, 147, fierce, furious, brave.
Gwydyl, 10, 130, 177.
gwydynt (gwybod), 30, know.
gwyn eu byt, 97, happy will they be.
Gwyned, 27.

gwynyeith, 114, vengeance.

Gwyr Deheu, 78 ; g. Dulyn, 9 ; g. Gogled, 15.

gwyw, 199, wither, decay.

gynt (cynt), 98, of yore.

gynhon (gynt), 131, 176, 183, tribes.

gyrhawt, 28, will drive.

hael, 167, generous.

heb, 67, without.

hebcor, 50, put aside, avoid.

hed, 2, peace, settlement.

Hegys, 32.

heit, 186, swarm, host.

hennyd, 114, 122, 154, 177, 187, 190, the other, companion, opponent.

herw, 135, wandering.

hoffed, 26, boasting.

Hors, 32.

hynt, 96, way.

hyt, 7, 188, as far as ; hyt vrawt, 164, 192, till doom ; h. pan, 143, until.

iolwn, 195, we ask, pray.

Iwerdon, 10, 148.

Iwis, 181 ; Iwys, 108.

Lego, 106, 149.

lladant, 79, kill.

llafar, 185, talkative.

llafnawr, 57, 79, blades.

llaw, 172, hand ; yn eu ll., 172, in their power ; ll. amhar, 120, wounded in the hand.

llaw, 68, small, low, sad.

llawen, 185, merry.

llawer, 36, many.

llawn, 76, full.

lleferynt, 49, *nodyn*.

llefeir (llefaru), 23, tells.

lletfer, 38, rough, savage.

lleith, 19, 83, death.

llettawt (llettatawt), 175, will spread.

lliaws, 120, 128, many, multitude.

llieingant, 130, linen (banner).

llifeit, 79, whetted, sharpened.

llithryn, 68, run, will run.

Lloegyr, 109.

lloscit (llosgydd ?), 109, *nodyn*.

lluman, 59, 129, banner.

lluyd, 110, –20, –4, –50, –2, –63, –9, host.

llwyr, 79, completely.

llwyth, 128, people.

Llydaw, 153, –72.

llyfrawr, 193, sorcerer.

llyghes, 149, –81, fleet.

llym, 79, keen.

Mab Meir, 25, 45.

mae, 135, is, are.

maes, 87, plain.

mal, 60, 68, 113, like, as.

maran[n]ed, 2, treasure, wealth.

mat, 71, lucky.

mawr a eir, 25, 45.

mawred, 49, pride.

mechteyrn, 18, 100, high king, overlord.

med, 35, mead.

meddawt, 35, 102, drunkenness.

medut, 102, enjoyment, delight.

medyc, 80, physician.

mehyn, 4, place.

meint, 71, 103, –34, all, as much as, size.

Meir, 25, 45.

meirch, 118, horses.

meiryon (maer), 18, 21, 63, –9, stewards.

meued, 2, property.
milwyr, 179.
mirein, 152, –69, fine.
molawt, 100, praise.
Mon, 10.
mor, 68, 161, –91, sea.
mwyn, 80, gain, wealth.
Mynaw, 172.
mynet, 44, to go.
mynuer, 34, diadem.
mynych, 124, frequent.
mynyd, 113, mountain.
Myrdin, 17.
na, 99, 192, negative in pro-
    hibitions ; 99, 101, nor ; 22,
    negative relative.
namyn (namn), 50, 74, 184, 194,
    except.
naw vgein, 73, nine score.
neb, 29, any one.
nef, 195, heaven.
nen, 142, place ?
neu, 139, –40, or.
no, 44, than.
nys, 170, negative and dative
    infixed pron.
o, 103, 104, 138, by, of, from.
obein (vbein), 119.
oes, 156, age ; oes oesseu, 86, for
    ever.
ol wrth ol, 190, one after the other
or a, 80, of that which.
paladyr, 91, support.
pan, 12, when ; 136, whence.
parawt, 168, ready.
parth, 155, o pop p., from all sides.
petwar, 74, 146 ; pedeir, 146.
peurllyn, 58, *nodyn*.
peirch, 154, will spare
peleitral, 115, spear-play.

pell, 13, 27, long (time), far (space).
pen, 117, head.
pennaeth, 3, 26, 38, 175, rule.
perued, 16, middle.
peri, 127, p. kat, give battle.
perth, 160, bush.
Perydon, 18, 71.
peunyd (beunydd), 191.
pleit, 167, o p. on the side of, for.
plyc, 199, bends.
poet (boed), 43, 196, let it be.
prydaw, 110, 153, fine.
Prydein, 152, –69.
prydyd, 193, poet.
Prydyn (105, Prydeyn), 10, 67.
prynassant, 31, bought.
pryt na(s), 25, 45.
pwy, 96, 134, *nodyn*.
pwyller, 41, is intended, planned.
py, 133, –6, what ; 30, why.
pyr y, 139, –40, why.
rac, 46, 90, 119, before, for.
racwan, 89, leading the attack.
racwed, 16, van of battle ?
rantir, 138, domains, patrimony.
rei, 70, some.
reith, 19, *nodyn:* 47 ; reitheu,
    140, laws, rights.
reges, 43, ebb, departure.
rewinyawt, 150, *nodyn*.
rewyd, 149, wanton, high-spirited.
ri, 195, lord.
rin, 34, secret, virtue.
rud, 94, red.
ruthyr, 119, rush.
rwyccawt, 150, will rend.
ry- (perfective partic. with verbs),
    82, –3, –5, 155, –78, –80 ; ryn
    (ry-n), 98, with infixed pron.
    1st pl.

76 GEIRFA

ryfel, 67, war.

ryher, 39, *nodyn*.

ryhyt, 6, stubborn, long ?

ryn, 104, *nodyn*.

ryssed, 32, splendour, excess.

Saesson (Seis, 96), 26, 42, 54, 60 90, 101, -33, -48, -66, -76.

safant (sefyll), 131, -42, stand ; 122, -87, safhwynt.

saghyssant (sengi), 139, trod under foot, transgressed.

Santwic, 188.

sathrant, 137, *nodyn*.

seilyassant, 135, started, set out ?

seint, 105, -39, saints.

seithweith, 143, seven times.

swynedic, 188, blessed, happy.

synhwyr, 92, skill, wisdom.

syrthwynt, 93, syrthyn 60, fall.

talet, talu, 103, 114, pay ; talei, 24 ; talet, 52 ; talhawr, 145 ; talhont, 143 ; telhyn, 22.

tardet, 25, burst ; terdyn, 45.

techyn, 96, flee, will flee.

teyrned, 14, 40, 180, lords.

torrassant, 140, broke.

tir, 67, land.

traet, 65, feet.

trallawt, 98, sorrow, grief.

trefdyn, 53, home.

treiglynt, 30, wander.

treghis, 156, passed away ; treinc, 198, dies.

tres, 181, violence, oppression.

treth, tretheu, 21, 72, 78, 84, 86. 123.

trindawt, 41, 98.

tristit, 39, sorrow.

trwy, 31, 65, -6, -8, 92, 105, -25, -30, through, with

trydar, 5, noise, tumult, battle.

twrwf, 179, uproar, tumult.

tynget, 103, fate.

tywyll, 88, darkness.

tywyssaw, 130, lead.

tywyssawc, 196, leader.

vbein, 119, wailing.

vn, 19, 20, 48, 168.

vnben, 165, lord ; unbyn, 91, 46, lords.

vthyr, 119, horrible, dreadful.

wrth, 62.

wy (hwy), 97, 173.

y (= i, oddi), y am, 55, -6 ; y ar, 154 ; y wrthym, 33 ; y genhyn (see *genhyn*).

yd, 20, 51.

y eu, 75, to their.

yg (ing), yng, 32, straitened, scanty ; 197, anguish, straits.

ymda, 112, goes.

ymdifeit, 104, orphans.

ymgetwynt, 141, watch, guard.

ymorchymynynt, 51, commend themselves.

ymprofyn, 56, fight.

ymtreulaw, 55, destroying one another.

ymwadant, 132, play false.

ymwelant, 141, see one another ; ? ymchwelant, return.

ymwrthuynnyn, 20, fight.

ymwrthryn, 55, attacking one another.

yn, 110, our

ynt, 48, are

ynys (Britain), 186, -94.

yr (er), 49, 110, because of, from ; 50, to ; 137, since.

Yrechwyd, 175, *nodyn*.

yssyd, 23, this is, he is.

yt vyd, 172, will be.